Um anjo de mochila azul

Diogo Almeida

Um anjo de mochila azul

ns
São Paulo, 2020

Um anjo de mochila azul
Copyright © 2020 by Diogo Almeida
Copyright © 2020 by Novo Século Editora Ltda.

PREPARAÇÃO DE TEXTO
Cinthia Zagatto

REVISÃO
Tássia Carvalho

ILUSTRAÇÃO CONTRACAPA
Michelle Cândido/@michele_candido

DIAGRAMAÇÃO E CAPA
Vitor Donofrio

Texto de acordo com as normas do Novo Acordo Ortográfico da Língua Portuguesa (1990), em vigor desde 1º de janeiro de 2009.

Dados Internacionais de Catalogação na Publicação (CIP)

Almeida, Diogo
Um anjo de mochila azul
Diogo Almeida.
Barueri, SP: Novo Século Editora, 2020.

1. Ficção brasileira 2. Comédia I. Título

19-2989   CDD-869.3

Índice para catálogo sistemático:
1. Ficção: Literatura brasileira 869.3

Alameda Araguaia, 2190 – Bloco A – 11º andar – Conjunto 1111
CEP 06455-000 – Alphaville Industrial, Barueri – SP – Brasil
Tel.: (11) 3699-7107 | Fax: (11) 3699-7323
www.gruponovoseculo.com.br | atendimento@gruponovoseculo.com.br

1. Team Pedagógico

Insônia. Sim, eu sofro desse mal terrível. Principalmente aos domingos. Talvez por ficar "ruminando" as angústias que me esperam na sala de aula na segunda. O que eu faço para conseguir domar aqueles alunos? Já tentei todas as atividades possíveis: musiquinha, jogos, ditado, trabalhos em dupla, em grupo, individuais. E se eu tentasse hipnose? Adestramento? Aula estilo treinamento do Bope? Será que Vygotsky pegou algum aluno semelhante aos que eu tenho na minha sala? Ou então Piaget? Aliás, ele é europeu. As crianças da Europa são de primeiro mundo, já nascem cheirosas; os meus alunos com 4 anos falam "eu não truxe" e já têm luzes no cabelo. Luzes! Isso mesmo, meu Deus, por que eu não nasci na França? Será que ainda dá tempo de prestar um concurso por lá?

Bem, eu nem me apresentei e já estou reclamando. Desculpa minha indelicadeza! Você já deve ter notado: eu sou professora, ou melhor, *sofressora*, de acordo com a nomenclatura que usamos nos bastidores pedagógicos. Dou aula de português para alunos do fundamental; nessa fase, eles já deveriam ter saído do processo de alfabetização, mas isso nem sempre acontece – às vezes, a criança entra na escola, passa pela escola, sai da escola e ainda está no processo de alfabetização. Também já dei aula no infantil. Sei muito bem a loucura que é.

Passo longas oito horas do dia rodeada de muito barulho, muito barulho, ba-ru-lho, ou, como dizem os alunos, "baruio"; sem falar na correria. Dou aula em duas escolas diferentes: Escola Municipal Francisca Cavalloça, de manhã, e Escola Bento Segundo, no período da tarde – ambas em Curitiba.

Já são doze anos dedicados à educação e, por incrível que pareça, eu ainda consigo manter a pressão doze por oito! Nós, professores, somos uma espécie que deveria ser estudada: não é fácil lidar com uma sala com trinta crianças ao mesmo tempo, vivas, conscientes e cheias de energia. Ou seja, trabalhamos diretamente com o perigo! E você nunca viu um professor receber um equipamento de proteção individual (EPI). Pessoas que trabalham em vários setores, como indústria, agricultura, logística e serviços em geral, recebem um EPI. Fico me perguntando: por que isso não existe no ambiente pedagógico? Dizem que, nas indústrias, protetores auriculares são obrigatórios por causa do barulho excessivo. As pessoas acham uma indústria barulhenta? Isso porque nunca entraram numa sala com trinta crianças gritando – porque a criança não fala, ela grita, e o coleguinha nem precisa estar longe, só ao lado dele. Crianças conversando em uma sala parecem estar num debate.

Com esse tom de frustração no meu discurso, não quero que você pense que eu sou uma má profissional. Eu me acho bem dedicada, na verdade. Quer dizer, já fui mais; hoje estou mais em modo avião, fazendo as coisas no automático! Mas, antes de eu comentar a minha rotina puxada, gostaria de dividir um pouco da minha história e como cheguei até aqui. Não pense que vai ser cheia de explosões, carros voando, tiros e romances com sarados desconhecidos. As minhas maiores emoções se resumem em conciliar o pouco tempo que tenho com as minhas atividades, não usar roupa do avesso, andar com o carro na reserva a ponto de correr o risco de acabar a gasolina a qualquer momento e sair com o tempo nublado sem levar guarda-chuva ou sombrinha. O único tiroteio que você vai ver é com pistola de cola quente – a única arminha que eu sei manusear – e minha maior aventura é conseguir quitar os boletos com o meu salário. Aliás, ganho tão pouco que, em vez de chamar de salário, deveria chamar de troco.

Eu nasci em 1º de junho de 1973 (não precisa fazer as contas para saber a minha idade), na cidade de Pinhais, região metropolitana de Curitiba. Morei a vida inteira em Pinhais, mas, pouco tempo antes de eu me casar, me mudei para Curitiba. Sou a mais velha de três irmãos e acredito que, por isso, meus pais tenham errado no meu nome e acertado no deles. Me chamo Francislena Aparecida Lopes. Isso mesmo, Francislena! Minha mãe era devota de São Francisco e meu pai, fã do John Lennon. Qual o resultado desse amor consumado em meio a novenas e canções românticas? Eu, Francislena! Mas é claro que algumas pessoas me chamam de Lena; as mais íntimas e descoladas me chamam de professora Francis. Meu irmão mais novo se chama Diego e o do meio se chama Daniel; ou seja, a mamãe estava bêbada no dia em que me registrou e depois encontrou a sobriedade. Aliás, ela deve ter permanecido bêbada durante toda a minha gravidez – isso explicaria muita coisa! Acho que até hoje sou meio sequelada em virtude disso.

Desde que me entendo por gente, eu queria ser médica. Adorava fazer procedimentos médicos nas minhas bonecas e nas bonecas das minhas amigas: invertia as pernas, fazia transplante da perna para o braço, cabeças ocupavam o lugar das pernas; eu era uma mistura de neuro com ortopedista. Mas esse sonho acabou quando eu entrei na adolescência: em vez de médica, eu quis ser Paquita. Meu sonho era ser Paquita! Meu Deus, faltava tão pouco! Só precisava de cabelos loiros, vinte centímetros a mais, uns oito quilos a menos e as botas brancas. A não ser que eles quisessem uma Paquita morena, de cabelos pretos, olhos castanhos, algumas espinhas no rosto (espinhais grandes, criadas em cativeiro), com 1,63 metro de altura e levemente acima do peso. Eles também poderiam me contratar como cotista, uma representante legítima das adolescentes da vida real, num programa como os de governo, tipo "minha Paquita, minha vida" ou "a CDHU das Paquitas".

Eu não entrei para as Paquitas nem para a medicina. Aliás, quando terminei o Ensino Médio, descobri que era muito menos concorrido tentar uma vaga para Paquita do que para Medicina na Universidade Federal. Diante das possibilidades e da realidade nua e crua, eu decidi pelo mais prático e barato: fazer Pedagogia. É logico que houve uma grande influência das minhas amigas; todas me convenceram a fazer Pedagogia, principalmente na hora em que me apresentaram o plano logístico para ir até a faculdade: iríamos rachar a gasolina e dividir as despesas do lanche – isso é muito tentador para quem não tem dinheiro para nada. Ou seja, naquele momento, seria a faculdade perfeita: pouca concorrência, estímulo fraterno e economia de combustível. Meu Deus, se encaixava perfeitamente à minha realidade.

Outro fator que me fez entrar no mundo acadêmico foi a minha paixão pelas palavras. Por isso, depois de fazer Pedagogia e arrumar emprego em uma escola, eu ainda fiz Letras, que sempre foi a minha paixão – primeiro a gente prioriza a necessidade e depois vem a diversão. Sempre gostei de ler poesias e poemas, sobretudo os textos que expressavam o sentimento humano; tinha que me aprofundar nesse universo. E, apesar de usar as palavras como ferramenta de ensino, arte e expressão, eu nunca tive coragem de mostrar meus textos para ninguém. Todas as minhas frustações, conquistas e, principalmente, as minhas emoções estavam eternizadas em papéis. Tudo isso guardado a sete chaves.

No início de 1991, começamos a faculdade de Pedagogia – que, na época, era conhecida como curso de Magistério. Eu a iniciei sem expectativa nenhuma, mas, ao longo do curso, fui tomando gosto pelas disciplinas e pela possibilidade de lecionar. Nunca fui uma aluna exemplar, mas era esforçada: sempre tive que dar um tranco no tico e teco, porque meu cérebro demora um pouco para funcionar, mas, depois que ele pega no tranco, aí vai que vai! Das três amigas que estudavam comigo, uma delas, a Josi, era parte integrante do meu time (o das esforçadas) e as outras duas eram trabalhadas na inteligência.

Elas eram irmãs, Marli e Marielle, e entendiam as coisas sem esforço nenhum! Dava uma raiva delas! Pelo menos esteticamente elas eram medianas. Não que eu não gostasse das duas, mas imagina se, além de inteligentes, elas fossem belas, lindas e saradas?! Eu jamais seria amiga delas! Não iriam se encaixar na minha humilde realidade. Então, a mão de Deus pesou e as fez inteligentíssimas, mas com simplicidade no acabamento.

Não me entenda mal: eu não me considero uma deusa, mas acho que tudo na vida é equilíbrio! Por exemplo, a minha amiga Josi é bem descolada e usa roupas à frente do nosso tempo. Sabe aquela pessoa que consegue montar um look todo style com uma legging e uma camiseta?! Ela é tipo um MacGyver dos vestuários! Ela é a mais alta de nós quatro, tem mais de um metro e oitenta (não me pergunte quanto a mais: passou de um metro e oitenta, eu acho um descaso com as outras mulheres), é magra, tem uma silhueta harmônica, olhos castanhos, algumas tatuagens espalhadas pelo corpo e uma boca desenhada na medida certa (aqueles lábios que não são nem muito grossos nem muito finos). Ela já usou o cabelo de várias maneiras, comprido, curto, e agora está usando franjinha, mas isso pode mudar a qualquer momento. A gente brinca que a aparência dela é igual à previsão do tempo: muda do nada. Em contrapartida, ela tem uma pequena falta de oxigenação no cérebro, ou seja: equilíbrio. Quer ser linda? Existe um preço a ser pago, você vai ter alguma sequela interior.

Então não existem pessoas que sejam lindas por dentro e por fora? Sim, lógico que existem. Porém, elas não têm amigos normais, elas vivem dentro da bolha das mulheres lindas e perfeitas. É o preço que se paga pela perfeição: solidão e julgamento alheio! Sempre que víamos uma mulher muito linda na rua, nós pensávamos: olha ali, mais uma integrante da bolha interagindo com o mundo normal.

As outras gurias, Marli e Mari (ah, sim, aqui em Curitiba temos o hábito de chamar as meninas de "guria" e os meninos de "piá" – quem vem de fora sempre estranha isso), não são nada parecidas, nem na questão estética, nem na personalidade. A Mari se parece mais comigo. Não somos muito conservadoras, mas também não somos tão descoladas quanto a Josi. A Marli já é mais na dela, mais compenetrada. Na verdade, ela é o equilíbrio, a sanidade do grupo, com certeza a mais inteligente de nós todas. Se hoje estamos todas formadas, certamente devemos isso à Marli, a responsável pelo planejamento e elaboração dos trabalhos; nós ficávamos com a execução. Ela é a única casada de nós quatro, ou melhor, a única que ainda continua casada (a Mari, assim como eu, havia se separado). A Marli é mais conservadora até mesmo na questão estética: não gosta muito de se maquiar, usa roupas básicas, cabelo sempre amarrado e, para completar o look mais retraído, óculos nada modernos – a armação está com ela desde a adolescência; ela parece uma eterna catequista. A estatura dela é praticamente a mesma da Mari (nem quero tocar muito nesse assunto porque sou a mais baixinha). O que chama muito atenção nela são os belos olhos verdes, que ela herdou do avô. Apesar de não se preocupar muito com a aparência, ela tem um corpo bem bonito – o que nos deixa com muita raiva, porque eu e a Mari vivemos de regime para não engordar. Desde a faculdade, sabemos que emagrecer é só pela graça divina, então, apenas de não engordar já estamos felizes.

A Mari já é um pouco mais descolada que a irmã, tanto no modo de se vestir como na personalidade. Ela, na maioria dos dias, prioriza a simplicidade, mas sempre tem um toque de ousadia em sua vestimenta: às vezes arrisca um decote ou então um vestido. Ela não puxou os olhos azuis do avô, mas tem um rosto maravilhoso, olhos grandes e uma boca bem carnuda. O que a incomoda é que ela está sempre um pouco acima do peso, mas, com um rosto daquele e a inteligência que tem, ainda queria ser magra? Eu sempre falo para ela: "A vida é um equilíbrio, não se pode ter tudo. Lembre-se da bolha das perfeitas".

Falando em equilíbrio, eu me considero a mais equilibrada esteticamente. A Marli tem o equilíbrio psíquico e eu, o equilíbrio estético: não sou a mais inteligente, mas também não sou uma porta. Esteticamente, acho que eu estou ok. As meninas vivem me elogiando, falam que sou bonita, que esbanjo simpatia e que não aparento a idade que tenho. Na verdade, eu sei que sou sortuda porque não vivo em academias nem passando zilhares de cremes ou fazendo tratamentos estéticos (até porque não tenho tempo e nem dinheiro para isso), mas, mesmo com a minha profissão corrida e estressante, acho que continuo me mantendo jovem – no entanto, sem dúvida nenhuma, eu poderia cuidar um pouco mais de mim. Minha baixa estatura já me incomodou um pouco (quando você é baixinha, um quilo que você engorde equivale a três numa pessoa normal), mas hoje eu me relaciono melhor com isso (1,63 metro de altura nem é tão pouco assim!). Além disso, meus olhos expressivos, meu sorriso lindo, meus cabelos lisos e castanhos, aliados à minha grande humildade, compensam a minha baixa estatura (ah, e um salto alto sempre é bem-vindo!).

Com certeza éramos bem diferentes, às vezes brigávamos, mas nos completávamos. A Josi nos chamava de Tartarugas Ninja! Segundo ela, a Marli era o Donatello, inteligente e centrada; eu era o Leonardo, jovem e determinada; a Mari era o Rafael, brava, mas gente boa; e ela era o Michelangelo, simplesmente a mais besta de todas. Intrigas e discussões à parte, nós nos divertíamos muito. Desde a faculdade, estávamos sempre rindo e formávamos um time maravilhoso. No intervalo, comíamos de maneira socialista: juntávamos tudo o que tínhamos e depois dividíamos o lanche de maneira igualitária! Nos trabalhos em equipe, as irmãs inteligentes faziam a parte teórica; a Josi fazia a parte artística e eu realizava a apresentação do trabalho, porque sempre fui muito comunicativa e achava que isso seria fundamental para ser uma excelente professora.

Inocentemente, eu pensava que só a minha habilidade de comunicação seria o suficiente para dar aulas maravilhosas e que todos os alunos ficariam encantados, prestando atenção. Ahhhh... doce ilusão! Com o tempo, descobri que, para dar aula para crianças, uma boa eloquência é apenas a ponta do iceberg. Aliás, com o tempo, percebi também que a minha inabilidade artística me prejudicaria terrivelmente, já que, para dar uma boa aula no ensino infantil, uma dose de dom artístico ajuda bastante na confecção de atividades pedagógicas.

Assim como a Marielle, estou separada, mais precisamente há uns sete meses. Meu ex-marido era um imprestável, mas não vale a pena ficar gastando páginas desta história para falar do finado Orlando (isso mesmo, Orlando!), só se fosse no Twitter – assim gastaria no máximo 280 caracteres.

A separação foi avassaladora na minha vida. Meu Deus! Eu achei que não fosse superar! Porque, por mais insuportável que seja a pessoa, a gente acaba se acostumando com a criatura. Relacionamento é igual a banho no inverno: ruim para entrar e, depois que se acostuma, muito pior de sair. Se ver sozinha depois de um longo período com alguém é meio assustador, mas essa sensação e esse medo passam com o tempo. Não é fácil. Tem dias que a dose de Rivotril tem que ser dobrada! Aliás, triplicada! (Porque meu corpo já adquiriu resistência ao Rivotril.)

Quando você inicia o processo de se descobrir, o jogo começa a virar e a vida ganha um colorido diferente, então você pensa: "Jeová, por que eu não me separei antes?". A vida corre nas veias!

Eu não posso negar que sair com as minhas amigas professoras é diversão, escândalo e vergonha na certa! A gente não deve e nem tem que provar nada para ninguém, então estamos "cagando mole" para quem fica reparando na nossa desenvoltura e no nosso molejo pedagógico. Se não for para causar e chocar a sociedade, a gente nem sai! Tudo bem que a nossa energia não dura muito. É uma loucura intensa que acaba rápido. Professor cansa logo, né, bebê?! Meia hora de curtição aguda e a gente já precisa se sentar um pouco.

Hoje mesmo, eu e as gurias vamos ao show do Roupa Nova (a nossa amiga, Marielle, adora Roupa Nova, escuta as músicas da banda e fica ovulando). Vamos nos juntar e curtir. Aliás, estou numa megaindecisão: não sei se coloco calça ou vestido. O ruim de andar muito básica é que, no dia em que você quer ousar um pouco mais, você não sabe por onde começar. Pra dar uma cagada no look é um peido. Sempre de roupa básica e rasteirinha, no dia em que você pensa em ousar, colocar um vestido, adereços e um salto, você percebe que não tem muita vocação para miss. Sem falar que, quando os alunos nos encontram produzidas, eles não nos reconhecem. Para gente que trabalha muito, o conforto vem em primeiro lugar! Ser sensual até que é legal, mas dá uma preguiça...

Escuto uma risada ao longe. Não preciso nem espiar quem é, já sei que a Josi chegou. Só pela risada, eu consigo reconhecer. Aliás, todos da escola conseguem reconhecer a Josi pela risada; o apelido dela por lá é "Fafá de Belém pedagógica", porque de longe você já sabe que ela chegou. Pela intensidade da risada, ela já deve estar na porta do apartamento.

— Sabia que você estava aí, sua louca! Te ouvi lá do banheiro! Nossa, o porteiro nem interfona mais pra falar que você chegou! — falo enquanto abro a porta para ela.

— Eu e o Seu Dirceu já somos íntimos, já estou quase trazendo EVA e umas provas pra ele corrigir pra mim. Fica aí sem fazer nada mesmo... Todo dia que eu chego aqui, ele está lá sentado, parece um boneco de cera dele mesmo. Se um dia ele deixar um boneco no lugar dele, ninguém nem vai desconfiar. É capaz de o boneco ser mais ativo do que ele.

Seu Dirceu é o porteiro do prédio; polaco, bem alto, com cabelos grisalhos e beiços finos, bem finos! Aliás, nem sei se ele tem beiços. Ele tem um narigão seguido de um longo espaço, aí vem o buraco da boca com os dentes, mas falta um contorno nela. Parece pizza sem borda, lábios feitos com delineadores de tão finos que são! (Diga-se de passagem, é horrível beijar pessoas com a boca igual à dele, perdida no vácuo, porque o beijo fica murcho.) Seu Dirceu já se aposentou, mas infelizmente precisa continuar trabalhando. Dentro da espécie das professoras, isso é muito comum. Seu Dirceu é um querido, bonzinho até demais. Ele cativa pela simpatia, porque em relação às tarefas sempre deixa passar alguma coisa: esquece de entregar a correspondência ou, quando entrega, erra o destinatário; deixa as pessoas entrarem e não avisa; às vezes esquece de dar os recados e, quando os dá, já não têm mais importância. Mas todo mundo gosta do Seu Dirceu. Eu mesma, sempre que posso, levo uma comidinha das festas da escola para ele.

Retruco a colocação da Josi:

— Ué! Você queria que ele ficasse fazendo polichinelo enquanto libera o portão para as pessoas? Um porteiro crossfiteiro?

– Hahaha... Guria, um dia vou trazer meus alunos para passarem a tarde com o Seu Dirceu.
– Você quer dar trabalho ou um infarto pra ele?
– Hahaha, imagina o seu Dirceu correndo atrás do Guilherme?!
– Vamos? Você alugou essa roupa?! Roupa Nova vai tocar no Oscar?! – pergunto pra Josi, tirando sarro.

Ela nem estava tão extravagante, mas entre nós, professoras, os looks não variam muito, então, quando você vê uma professora com uma roupa diferente, é inevitável comentar. Ela está com um vestido vinho, curto, de alcinha, todo estilizado, algumas tatuagens à mostra, tênis coloridos, cabelos escovados e uma bolsa a tiracolo. Se os alunos a vissem daquela maneira, não a reconheceriam, com certeza.

Já eu visto uma coisa mais *fashion* básica: peguei um blazer preto que usava para tudo, um jeans e tênis bem baixinhos, porque o conforto sempre vem em primeiro lugar; o medo de errar vem em seguida.

– Vamos! Eu estou *arrasant*! É bem capaz de aquele baterista lindo do Roupa Nova ceder aos meus encantos hoje – responde ela, sorrindo.

Mal chegamos ao local e eu já reconheço três pessoas: duas professoras e uma mãe de aluno. Esse é um dos maiores dilemas de ser professora: você está num eterno reality show, tem sempre alguém te vigiando. Sempre! Acho que, na minha morte, em vez de Deus, vai aparecer o Pedro Bial falando: "Você foi eliminada!".

Encontramos as gurias, que sabiam que estávamos chegando por causa da risada da Josi. A Marli, como sempre, com um look mais básico: calça jeans e camiseta; já a Mari, mais ousada, blusinha e saia. Chique! Nem parece professora! A Josi olha a roupa básica da Marli e não perde a oportunidade:

– Nossa, Marli, veio direto da catequese? – pergunta, rindo descontroladamente em seguida.

– E você? Veio para a formatura ou para o show do Roupa Nova?! – responde a Marli.

– Eu sou chique, meu amor! Vim toda bonitinha, até raspei minha Dirce. Está limpinha e lisinha, pronta para o abate! – A Josi chama o órgão genital dela de "Dirce" em homenagem ao seu Dirceu, porque, segundo ela, os dois têm os lábios bem fininhos. O pior é que a moda pegou entre nós.

Eu intervenho:

– Gente, independente do look, se é Fashion Week ou Campanha do Agasalho, se a Dirce está lisinha ou espetando, olhem o tamanho da fila! Vamos entrar logo, venham!

– Certeza que a Dirce da Marli está parecendo uma comunista com aquela barba grande – diz a Josi.

– Sai fora, Josi, minha Dirce está cabeluda, mas está igual àqueles caras que curtem cerveja artesanal: barba grande, mas bem-feitinha. Tem até um dégradé – responde a Marli.

– Como está sua Dirce, Marielle? – pergunto para ela. Afinal, esse é o assunto durante a fila.

– Minha Dirce está igual ao Ben, meu aluno gordinho. Está insaciável!

– Hahaha… Falando em Ben, você viu o pai dele esses dias na escola? E-NOR-… – Pauso, esperando que elas completem.

– MEEEEEE – dizem as gurias. Sempre que queremos enfatizar alguma coisa, falamos pausadamente e deixamos a palavra ser completada por todas nós, juntas.

– E a mãe dele é magrinha, né? A Dirce dela deve estar até amassada – fala a Josi enquanto nos aproximamos da entrada do teatro.

Em todos os lugares que nos reunimos, o assunto é sempre a escola. Estamos falando de looks e Dirce e, do nada, alguém puxa uma referência de aluno, ou então da direção escolar. Todas as vezes, o papo sempre vai terminar em escola, por mais que a gente não queira. Acho que é um carma.

– Pera aí, acho que perdi meu ingresso – grita a Josi, bem na nossa hora de entrar. – Ai, gente, não tô achando! Ai, caramba...

Mexe, procura, tira coisa, olha todos os compartimentos possíveis – e, detalhe, não estou falando de uma mala enorme, é uma bolsa minúscula! Como alguém consegue perder alguma coisa em um negocinho daquele tamanho? Ainda mais nós, professoras, que estamos habituadas a carregar e manusear bolsas enormes... Não satisfeita, a Josi abaixa e vira todas as coisas dela no chão: maquiagem, cartões, OB, clipes, alguns grampos, apontador, habilitação e outras coisas. Parecia que aquela bolsinha tinha fundo falso!

– A senhora pode dar licença? – diz a mocinha que está na portaria ao ver aquela cena desesperadora.

– Calma! Eu vou achar! Estava comigo até agora, é só a senhorita esperar um pouquinho! E, outra coisa, eu estou me mijando nessa fila desde a hora em que cheguei! O maior interesse de entrar com certeza é meu! Estou com a Dirce pingando! – responde a Josi, abaixada.

– Mas a senhora está atrapalhando a fila!

– E vou continuar atrapalhando! Ninguém aqui paga as minhas contas, e, quando digo ninguém, é ninguém mesmo, porque nem eu estou pagando! Esse ingresso eu comprei no cartão, mas vou pagar!

Já dá para escutar o burburinho das pessoas na fila. Eu estava vendo a hora em que a Josi ia mandar todo mundo ir ver Roupa Nova na puta que pariu.

– Francis, eu não entreguei meu ingresso pra você, não? – diz a Josi me olhando de baixo para cima, com uma cara de quem vai avançar em mim dependendo da minha resposta.

— Agora que eu vi, seu ingresso estava comigo, junto com seu documento — respondo, morrendo de medo.

— Ahhhhh, FRAN-CIS-LE...

— NAAA — todas completam.

— Eu perdendo toda a minha dignidade na fila aqui e você com o ingresso na mão! — Ela vira para o pessoal que está na fila e continua: — Sabiam que o nome dela é Francislena?! E a gente só demorou esse tempão por causa dela?! Depois podem xingar nas redes sociais. É só procurar "Francislena", a primeira que aparecer é ela. Só deve ter ela no mundo com esse nome ridículo!

— Meu Deus, Josi, me desculpa! A gente está ficando cada vez mais sequelada: o tempo todo, nos atrapalhando sozinhas. Não precisa de ninguém para nos prejudicar na vida, a gente já dá conta do recado. Agora, vamos entrar?! — eu digo, morrendo de vergonha.

— Eu preciso fazer xixi — responde a Josi.

— Ah, não! Depois do recreio você vai. Segura essa Dirce aí! Está parecendo os meus alunos. Daqui a pouco vai perguntar se é pra copiar o conteúdo da lousa! — fala a Mari, caminhando em direção ao teatro.

Depois de longos trinta minutos e de a Josi fazer o xixi, entramos. O show estava previsto para as 21:00; são 22:15 e não começou ainda. Nós estamos sentadas, esperando e bocejando. Se demorar mais dez minutos para começar, é certo que uma de nós vai cochilar. Até que, pouco tempo depois, apagam-se as luzes e gritos eufóricos tomam conta do lugar. Aleluia, o show vai começar!

Gritos e mais gritos! Jeová, como mulher grita! Se for professora ainda, vem com um turbo na voz! Que show maravilhoso. A Josi incansavelmente fazendo corações com a mão para o baterista; ela quase morre quando ele dá um tchauzinho na direção dela.

– Ahhh! Ele me deu um tchau! Vocês viram? Esse gostoso está me querendo! Vem me bater com essa *banqueta* – diz ela, bem na hora do silêncio!

Todos no teatro riem, porque o nome não é "banqueta", é "baqueta". A gente não consegue parar de rir e a Josi quase tem um treco de tanto dar risada. Se não acontecer alguma coisa muito engraçada sempre que a gente sai, não é a gente! Essa, sem dúvida, é a nossa marca registrada.

Depois de uma hora e meia de duração, músicas incríveis, muitos gritos e alguns vexames, o show termina. Era tudo que a gente precisava depois de uma semana extremamente cansativa.

Saindo do teatro, quem a gente encontra?! A mãe de um aluno! Daquelas bem chatas, insuportáveis! Nesse momento, você respira fundo, encontra a *lady* dentro de você e faz a pêssega. O ideal é fingir que não viu, mas nem sempre dá certo. Quando os olhares se cruzam, já era! Apenas sorria e acene. Às vezes, encontramos as mães dos capirotos *kids* na rua e temos que fazer a Falsiane. Para não correr esse risco, eu prefiro não encontrar mãe nenhuma. Dois tipos de pessoa com que eu tento evitar cruzar o olhar na rua: mães de aluno e flanelinhas; os dois sempre vêm me cobrar alguma coisa!

Ela vem em minha direção:

– Oi, linda! Tudo bem? Se divertindo um pouquinho? Segunda o Cauê está lá, hein!

– Ahhhh… Não vejo a hora! Tudo bem? Eu estou ótima! Se divertir é importante, né?! De vez em quando é bom! Dar uma relaxada dos alunos… Ah, queria que todos fossem iguais ao Cauê! – respondo, fazendo a Miss Simpatia.

– Ah, ele é um doce! – responde a mãe, já indo em outra direção.

– O Cauê melindroso e mimadinho que é o filho dela? – pergunta a Mari.

— Sim, esse mesmo! Mas ele até que melhorou bastante. Esse ano tenho uns capirotos que são terríveis. O Cauê, em comparação com os outros, é uma bênção. Além disso, ele nem está mais comigo, está na sala da Damaris, e a mãe achando que ele é meu aluno ainda. Aí você percebe o nível de comprometimento materno.

Se não bastasse encontrar a mãe, de repente, do nada, escuto:
— Professora?

Quando eu olho para trás, vejo o Cauê correndo em minha direção! Eu prontamente me abaixo e o abraço, numa felicidade e alegria contagiantes. Quem olha essa cena jamais poderia imaginar que eu estou interpretando tanto carinho e afeto. Durante esse momento de afago, escuto os sussurros das meninas:

— Misericórdia! Tem piedade, Jesus! Acho que vou querer abraçar também! — Todas, Josi, Marli e Mari, ficam balbuciando essas palavras de maneira irônica enquanto eu abraço o pequeno Cauê. Eu penso: "Como pode? Elas nem disfarçam? Tadinha da criança. E outra coisa: a mãe pode estar perto ainda. Imagina se ela ouve as meninas falando isso do menino?!".

Assim que encerro meu caloroso abraço e começo a me levantar — estou pronta para chamar a atenção das meninas —, tudo faz sentido. Quando posiciono meu olhar no horizonte, entendo por que elas queriam abraço: o Cauê está escoltado por um homem MA-RA-VI-LHO-SO. Não sei se é o pai, o padrasto, o vizinho, mas, quando vejo, já quero marcar uma reunião na escola. Reunião de pais e parentes de um metro e oitenta, olhos azuis, meia-idade, barba levemente aparada, camiseta, um belo casaco e uma calça jeans. Mas o que mais me chama a atenção são a boca carnuda e o sorriso maravilhoso. O corpo é bem normal, o que me deixa mais encantada ainda: com certeza ele come de tudo. Provavelmente não é o pai, porque os pais de escola pública tendem a ser mais prejudicados esteticamente. Aliás, eu não imaginava que na árvore genealógica do meu ex-capiroto pudesse ter um fruto tão interessante assim. Então, na ânsia de descobrir essa informação, pergunto:

— Cauê, veio com o papai no show?

— Não é meu pai, prof. O Miguel é meu tio e está solteiro! Igual a senhora, que está separada.

Olho para ele e dou uma risada totalmente amarela e sem graça, enquanto meu corpo se avermelha mais rápido que a velocidade da luz e a minha Dirce tem pequenos espasmos involuntários.

— Oi, Miguel!

— Oi, professora Francis.

— Francislena é o nome dela — a Josi faz questão de falar.

— E ela tem uma gatinha que se chama Dirce — diz a Mari.

— Ah! Que legal! E como está a Dirce? — pergunta Miguel, tentando ser agradável.

— Molhada! — responde a Marielle.

Nós estamos uma olhando para a outra, querendo rir, mas seguramos a risada durante um silêncio constrangedor. Sem entender nada e para quebrar o silêncio, Miguel continua:

— O Cauê gosta muito de você. Escutei muita coisa a seu respeito, mas não sabia que era separada!

"Não sabia, é? Mas, agora que sabe, nós podemos resolver isso, assim eu posso estar mais próxima do Cauê e você, mais próximo da professora dele. Todo mundo ganha com essa aproximação. Eu ficaria feliz de tirar as dúvidas do Cauê na sala de aula e as suas dúvidas na minha cama." Isso foi o que eu queria ter respondido, mas o que saiu foi:

— É, né?! Pra você ver! Olha só! A gente já vai indo, eu tenho que cuidar da Dirce. Até amanhã, Cauê.

— Amanhã não tem aula, professora. Por que você está vermelha? — diz o Cauê para acabar com a pouca dignidade que me restava.

— Vermelha? Eu? Acho que é calor! – respondo, mesmo sabendo que a temperatura estava baixa e todos usavam casacos.
— Então tá! Tchau!

Nos despedimos e vamos embora cabisbaixas. Quando adquirimos uma distância segura, a Josi se manifesta e começa a rir sem parar.

— Hahaha, que virjona que você é! Meu Deus! Agora o homem já sabe que você é uma encalhada. Que risada sem graça foi aquela? Por que você não desenvolveu um assunto? O gatão deve ter pensado: "Coitado do Cauê, a professora dele tem déficit de atenção".

— Mas eu também ficaria megaconstrangida – diz a Marli.

— Você não conta, casou virgem! Se sou eu, dava uma moral também. É raríssimo encontrar parente bonito de aluno, estão todos em extinção! Na verdade, eu não saberia muito o que dizer, mas certeza que eu não teria a reação de TDH que a Francis teve – diz a Marielle.

— Ai, gurias, eu não esperava por isso. Não tinha ideia do que fazer, vocês queriam o quê? Que eu me jogasse nos braços do homem e falasse: "Me usa, me bate com cola quente, me lambuza de guache e me chama de professora Helena"?

— Aham – elas respondem, dando risada da minha cara.

Vamos embora dando risada o caminho inteiro. Passamos nas casas das gurias e eu sou a última a desembarcar. Chego em casa rindo sozinha com toda essa situação. É interessante como algumas coisas acontecem na vida da gente, e isso foi acontecer justamente na frente das minhas amigas, que adoram tirar um sarro da minha cara!

Tiro a roupa, o tênis… Que prazer! Quando não se tem uma vida recheada com grandes experiências de viagem, gastronomia, aquisições de grifes ou outras coisas que se tornam acessíveis com grandes quantias, uma das maiores alegrias que a vida consegue te proporcionar está em tirar os calçados. Acho que Deus tornou essa experiência simples uma coisa agradável para que todo pobre possa ter um pouco de felicidade na vida também.

Já estou relaxada e plena na minha cama quando resolvo dar uma olhada básica no celular. No grupo das meninas, já existem vários memes zoando com a minha cara, gifs de pessoas batendo a cabeça na porta, aquele emoji de macaquinho que tapa a boca, entre outros. Quando eu abro meu Facebook, está lá uma solicitação de amizade do Miguel, tio do Cauê. Eu fico olhando a foto bem de pertinho para ver se é ele mesmo. Entro no perfil dele, mas, para a minha tristeza, todas as fotos são bloqueadas. Fico com medo de clicar em alguma coisa e ele perceber que eu estou stalkeando. Sei lá, dou uma bugada nesse momento.

Então percebo que meu nome no Facebook está como "Francislena" mesmo; ou seja, agora, além de separada, ele tem a certeza de que eu tenho um nome vergonhoso. Ele deve ter pensado que eu me separei por causa do nome, ou então que o padre, quando viu meu nome, em vez de me casar, me exorcizou. Eu não aceito a solicitação de amizade, preciso refletir um pouco.

Saio do celular e me deito, mas quem disse que eu consigo dormir?! Depois de longos quinze minutos de insônia e reflexão, eu pego o celular, respiro fundo e aceito a solicitação de amizade. Me gela a barriga! Parece que engoli uma caixa de Halls preto! Não passam nem trinta segundos desde que eu aceitei a solicitação e aparece uma notificação do Messenger:

"Oi, tudo bem, separada?". É uma mensagem do Miguel.

Eu, num impulso de burrice, misturado com jacuzice e medo, fecho o Messenger e coloco o celular no criado-mudo. Depois, fecho os olhos como se fosse dormir instantaneamente. Como não consigo, resolvo, então, pegar meu diário e minhas anotações. Passo a ler as poesias que escrevi para o Mateus e me dá uma enorme saudade dele. Antes que eu comece a chorar, decido, como de costume, escrever sobre o nosso rolê pedagógico, colocar no papel tudo o que aconteceu esta noite.

Escrevo sobre como é único estar com as gurias, que hoje elas são grande parte do meu alicerce; registro também como foi constrangedor e legal ao mesmo tempo ter conhecido o Miguel e que eu jamais esperaria que o Cauê fosse ter um parente tão interessante assim; fazia tempo que eu não me divertia tanto e aguardo ansiosamente por mais noites como esta.

Depois de escrever e refletir sobre o ocorrido, eu finalmente consigo dormir e acabo sonhando com o Miguel. Não o tio do Cauê, mas um aluno terrível que eu tive, um dos piores que passaram pela minha vida. Sonho que ele está dentro do tio do Cauê! O corpo é do tio, mas o rosto é do capiroto do Miguel. Meu Jeová, que pesadelo! Não quero reencontrar com o Miguel, meu ex-aluno, nem que ele venha com o corpo do Cauã Reymond. Será que isso é um presságio para que eu não me envolva com o Miguel? Acordo assustada, tomo uma gotinha de Rivotril e volto a dormir.

2 Coesão e coerência

Como uma boa professora que sou, deixe-me explicar uma coisa para não ficar nenhuma má impressão. Depois dos comentários e reflexões de ontem, ficou parecendo que eu estou desesperada por causa de homem. Nem é tanto assim! Eu consigo sobreviver bem só com a Netflix.

Já me separei há alguns meses e tenho um filho fruto desse relacionamento, que decidiu passar um tempo morando com o pai. O nome dele é Miguel. Brincadeira! Hahahaha, seria uma coincidência muito estranha da vida. O nome do meu filho é Mateus (falei dele no capítulo passado) e ele tem 16 anos. É uma idade muito difícil; comunicação, afeto e carinho são coisas que se tornam bem escassas nesse período, e olha que eu me considero uma mãe bem descolada: uso gírias contemporâneas como "crush", "Falsiane", "é noix" e "stalker"; tenho Facebook, Whats e já *abaixei* até o Instagram... Ops! Baixei – sempre que eu falo "abaixei", o Mateus quer me matar. Mas, apesar de eu me considerar bem atualizada, é difícil um adolescente se abrir com a mãe.

Ele ter ido morar com o pai me deixa triste, culpada por essa situação. Sempre me pego pensando: "Onde foi que eu errei? Será que o Mateus gosta mais do pai do que de mim? Será que dou mais atenção aos meus alunos? Se eu tivesse insistido no meu casamento falido, será que seríamos mais felizes?". Puxa vida! Eu juro que tentei construir uma família feliz, nos moldes convencionais, por mais de dezesseis anos, mas chegou um momento em que não era mais possível. Eu e o pai do Mateus só brigávamos.

Além disso, ele era um vagabundo de mão cheia, não parava em emprego nenhum! Só queria saber de trabalhar com os empregos da moda. Nos últimos anos, ele foi barbeiro, vendedor Hinode, mexeu com Mega Mania Cap e, por fim, estava trabalhando de Uber. Nada contra ser Uber! Eu mesma já pensei em fazer isso para complementar a renda e pagar meus potes e tupperwares, mas ele nunca parou num trabalho. Aí já é demais! Se, pelo menos, ele me ajudasse com as atividades da escola sem reclamar... mas, sempre que eu pedia qualquer coisa para ele, era um martírio.

O "falecido" focava as energias em agradar e mimar o Mateus, não pegava no pé e não impunha nenhum tipo de limite: qualquer coisa que o Mateus pedisse para ele, tinha como resposta a célebre frase: "fala com a sua mãe". Ou seja, a função de vetar e proibir era sempre minha. Acho que por isso o Mateus me considera a vilã da história. Na verdade, eu sempre ralei muito e cobrei muito do Mateus, sobretudo que ele fosse um bom aluno. Cobrava dele duas vezes mais do que cobrava dos meus alunos. Acho que ele acabou atribuindo a mim essa visão de carrasca; o pai ficou com a imagem e a referência da alegria e da diversão. Talvez por isso ele tenha acabado escolhendo o pai. Eu realmente não soube muito como agir nessa situação; até comprei uns livros de autoajuda, mas não adiantaram muito. Aliás, eu acho que esses livros de autoajuda ajudam mesmo somente a pessoa que escreve. O nome mesmo já diz: autoajuda.

Como sempre, a escrita foi o meu maior recurso. Tudo que eu não tinha coragem de externar, eu declarava ali naquelas folhas: meu amor pelo Mateus, minha frustração por não conseguir demonstrar o tanto que eu o amava, a minha tristeza profunda com o meu relacionamento; aqueles pedaços de papel eram meu divã. Eu sabia que escrever ajudava, mas não resolvia o problema. O ideal seria eu contar para as pessoas, sobretudo ao Mateus, que tudo que eu fazia era para dar uma vida e um futuro melhores para ele. Afinal, como toda boa mãe diz: eu não serei eterna!

Eu estou numa fase bem conturbada da minha vida: o Mateus não está sabendo lidar muito bem com a separação, está sendo um pouco difícil administrar essa questão dele com o pai e, além disso, me redescobrir como mulher não está sendo muito fácil. Na verdade, é um grande desafio. Por um lado, me sinto com medo e pensando: "Será que dou conta de tudo sozinha? Contas, dívidas, trabalho e cuidar da criação do Mateus etc.". Por outro lado, eu penso: "Que sensação maravilhosa essa oportunidade de me redescobrir, não dar satisfação para ninguém, ser totalmente responsável por todas as escolhas da minha vida".

Falando em se redescobrir, no sábado à tarde, comentei no grupo de Whats que tenho com as meninas que o Miguel tinha me mandado uma mensagem. A Josi prontamente me perguntou:

"Guria, não tô acreditando. E aí, o que você respondeu? Sua safada! Vai transar loucamente hoje?"

"Claro que não, Josi! Eu não respondi nada pra ele!"

"Josi saiu do grupo", ela escreveu numa tentativa de expressar sua revolta comigo.

"Eu não respondi porque eu fiquei nervosa, não sabia o que colocar…"

"Quem tem que colocar não é você, Francis, é ele! Hahahaha", disse a Josi."

"Melhor assim! Se você não sabia o que falar, melhor não falar nada", defendeu a Marli.

"Mas se ela for esperar saber o que falar, nunca vai desenrolar a conversa", completou a Josi, para me importunar.

"Ah, gente! Deixa rolar, depois eu respondo o boy. E outra coisa, eu não tenho tempo pra me envolver com ninguém agora. Essa semana estou cheia de coisa pra fazer."

"Minha filha, você é professora. Se for esperar o dia que não tiver nada pra fazer, vai ficar com a Dirce mumificada", escreveu a Mari.

Elas continuaram me importunando por horas. Acabou que o final de semana passou e eu nem respondi nada. Não que eu não quisesse, mas estava extremamente dividida. Um lado dizia: "Vai, garota marota, responde esse boy, vai pra cima dele!". O outro lado imediatamente se manifestava: "Não faz isso, não. Que preguiça de ter que ser legal, cheirosa, engraçada, entusiasmada com a vida, tomar banho e se arrumar".

Por que a gente não pode ir a um encontro de maneira prática e confortável, toda trabalhada no moletom e no rabo de cavalo? Ao mesmo tempo que eu quero encontrar alguém, eu já lembro o trabalho que dá e bate uma preguiça enorme: salto, depilação, unha, perfume... Além disso, tem que ser descolada, uma companhia agradável e o pior de tudo: engolir o bocejo para o boy não perceber que você já está com sono às dez horas da noite, ficar o tempo todo fingindo que ele está mais interessante que a sua cama e os travesseiros. Eu sei que eu quero encontrar outra pessoa, mas também sei que não quero forçar. Estou numa fase de curtição, principalmente comigo mesma e com as minhas amigas. Se um boy aparecer no lugar certo, na hora certa e com o teor alcoólico correto, saberei que é a obra de Deus na minha vida.

Falando em preguiça, vamos ao que interessa. O despertador tocou, tocou, e eu fingi que não tocou. Quando finjo que não estou ouvindo o despertador, estou enganando a ele ou a mim? Sempre coloco o despertador com uma margem de vinte minutos de misericórdia, que eu divido em quatro partes de cinco. Ou seja, a cada cinco minutos o despertador me tortura com aqueles barulhos que vão me avisando que eu tenho que acordar. Morro de inveja de quem acorda de uma vez sem sofrer. Falando nisso, eu odeio quem acorda com muita disposição.

Levanto atrasada, como sempre. O problema de levantar atrasada é que você nunca consegue fazer as coisas com calma e qualidade: a roupa que você coloca é a primeira que aparece – a combinação fica à mercê da sorte e da bênção divina – e o café da manhã se resume a uma fruta que vai sendo consumida durante o percurso. De maneira bem atrapalhada, atrasada, desfigurada pelo sono e sem nenhuma dignidade estética, vou para a escola.

Eu dou aula em duas escolas diferentes. De manhã, cuido das crianças da alfabetização; no período da tarde, trabalho numa escola do outro lado da cidade, com capirotos um pouco mais desenvolvidos, que precisam quase de uma "realfabetização". A impressão que eu tenho é a de que tudo que eles aprendem durante o ano, eles desaprendem durante as férias e voltam para as aulas "resetados". Ensinar aluno é como fazer regime: você demora horrores para emagrecer dois quilos, mas, se bobear, engorda os dois quilos em uma janta. Com os capirotos é a mesma coisa: demora horrores para ensinar e, se não der continuidade, eles desaprendem tudo de maneira instantânea.

Ensinar é uma das coisas mais complexas, mas com certeza é uma das mais gratificantes também. Meu sonho é que os alunos consigam enxergar a riqueza das palavras e que, um dia, elas possam fazer tanto sentido para eles quanto fazem para mim.

É muito corrido trabalhar em duas escolas. Chega um momento em que estou tão sequelada que levo material de uma para outra. Qualquer dia eu vou ensinar conjugação verbal para as criancinhas pequenas e limpar a bunda dos maiores, de tão louca que eu fico. O que me alivia e me anima um pouco é que a Mari, a Marli e a Josi trabalham comigo na escola da manhã. Aí, quando a gente se junta, é bobeira na certa.

Na escola, sempre tem os piores alunos, que eu carinhosamente chamo de "capirotos", mas também tem aqueles que são muito bonitinhos, quietinhos e fazem tudo que eu peço. Uma bênção! Eu tenho um carinho maior pelas criancinhas pequenas: elas são mais fáceis de domar. Agora, com os Pokémons mais evoluídos, tem dia que só Jesus na causa. Mas um dos maiores problemas é que a rotina de uma professora é muito puxada. Além de dar aula, você tem que preparar a aula, organizar festinhas, fazer o fechamento, relatórios, diários, reunião com os pais etc. Se você deixa acumular, não consegue mais voltar à realidade, fica preso dentro da "Nárnia Pedagógica".

Além de tudo isso, você tem que arrumar tempo para ver as amigas, malhar, se arrumar, marcar encontro, cuidar do filho e marcar outro encontro, porque o primeiro não deu certo. E não é só tempo, tem que arrumar dinheiro para poder viver tudo isso. Acho que o resumo da vida é este: estamos num grande videogame, onde os boletos são os chefões e, a cada boleto pago, você passa de fase; no dia em que zerar os boletos, você morre. Já eu, acho que só vou zerar esse jogo na próxima encarnação. Por mim, eu trabalharia numa escola só, mas, se fizer isso, tenho que deixar de viver um período da minha vida: viver somente doze horas por dia para economizar nas outras doze.

Eu reclamo um pouco da escola, mas eu gosto. Apesar de ser corrido, a gente se dá muito bem. Na escola da tarde, a direção é bem minha parceira, mas a diretora da manhã tira a minha paz: sempre vem pedir coisas e eu, boba, acabo fazendo tudo que ela me pede. Hoje, graças a Deus, não vou ter aula no período da manhã. Vai dar tempo de eu chegar lá, acabar de me arrumar e recuperar um pouco da minha dignidade estética. Vou ficar de hora-atividade, que é o momento que se usa para fazer as coisas extraclasse, como preparações e correções.

Nossa! É muito azar! Mal parei meu Celta branco na escola e quem é a primeira pessoa que eu vejo? A diretora Carmem! Sabe aquelas pessoas que, além de grandes na horizontal, também são grandes na vertical? Como se não bastasse isso, ela, com seus cabelos curtos e cacheados, ainda faz questão de usar muitos adereços: colares grandes, brincos enormes, batons carregados, e está sempre de salto – como se precisasse criar motivo para chamar mais atenção. A vantagem de ela ser grande é que o ponto cego em sua parte traseira é maior; portanto, é mais fácil passar por ela sem que ela te note. Dá para se esconder atrás dela e ela não percebe. Estou um pouco atrasada e, justamente hoje, ela está bem na passagem do corredor, interditando tudo; parece uma rotatória de vestido florido no meio do caminho. Não vai ter jeito! Vou ter que passar por ela.

– Olá, Francis, estava te procurando! – diz a rotatória falante.

– Oi, Carmem, tudo bem? Acabei de chegar. Pois não?

– Então, a Rute não vem hoje. Você pode ficar na sala dela? Não tenho ninguém para ficar. Sei que hoje é a sua hora-atividade, mas a sala dela é bem tranquila!

– Ela deixou alguma coisa preparada, Carmem? Seria aula do quê?

– Acho que ela iria dar matemática, mas, sinceramente, não sei. Qualquer coisa, dá um joguinho pra eles.

– Tá bom, eu vou ver o que eu faço. Só vou ali me preparar e pegar uma conjuntivite. Já volto, hehe…

É o máximo que consigo falar para protestar e mostrar minha indignação de ter que dar aula justamente no dia em que eu não daria aula, e de uma disciplina que eu não domino muito. Ainda bem que eu gosto da Rute, porque tem umas professoras aqui que dão raiva de ajudar! Tem umas que mais faltam do que vêm; tem professora que falta tanto que, em vez do aluno, é ela quem deveria reprovar por frequência! Se eu encontrar a criatura na escola, é bem capaz de nem reconhecer.

Entro rapidamente na sala dos professores, pego meu kit de sobrevivência, com alguns jogos e materiais para fazer algumas dinâmicas, e lá vou eu para a sala da Rute.

— Oi, turma! Vamos entrando... entra... vamos, lá! — Professor tem que chegar recolhendo os alunos. Parece que estourou uma boiada, porque eles ficam tudo espalhado nos corredores.

— Cadê a professora Rute? — pergunta uma aluninha.

— Ela foi para outra escola e, a partir de hoje, eu sou a nova professora! — falo para dar um choque na turma.

— Como é seu nome? — pergunta um capirotinho.

— Sentem lá que eu vou responder a todas as perguntas, mas sentem, todos! Sentem AGORA! A-GO-RA! — dou uma gritadinha, que é para marcar território. Sala de aula é igual savana: você tem que mostrar quem manda. Depois que todos se sentam, posso, enfim, começar a aula. — Bom dia!

— Bom dia, professora! — respondem, gritando.

— Ah, não, está muito fraco! É assim que vocês recebem a professora nova?! Eu duvido que vocês consigam fazer mais alto que isso!

— BOM DIA!

— BOM DIA! — respondem, se esgoelando.

— Agora, sim, muito bem! Meu nome é professora Francislena, mas podem me chamar de Francis ou Lena, o que vocês preferirem. Só não pode me chamar de Francislena, tudo junto.

— Quantos anos você tem? — um dos alunos pergunta. Interesse pela matéria eles não mostram, mas pela vida da professora... Se você der um pouco de margem, parece um interrogatório, uma delação premiada.

– Então, se vocês prestarem atenção, no final da aula eu conto uma história pra vocês, de como surgiu o meu nome. É baseada numa lenda bem legal!

Eu sempre tento estabelecer esses contratos sociais com os alunos a fim de que eles prestem atenção na aula. Depois eu os recompenso de alguma forma. Além disso, durante a aula, eu vou dando umas leves chantageadas: "olha, se não fizer, não tem a história", "quem não terminar tudo, não vai sair", "depois tragam a atividade para a professora ver e dar um carimbo bem bonito". As chantagens sempre funcionam para colocar ordem na sala.

A aula vai razoavelmente tranquila. Apesar de ser de matemática, eu pedi que eles fizessem uma redação e um desenho que mais os representasse. A melhor redação iria ganhar um prêmio. Sempre que eu posso, estimulo os alunos a escreverem, porque às vezes o papel pode ser a única companhia que nós temos, e ele não nos julga, apenas acolhe as nossas frustrações. Com a minha turma mesmo, eu trabalho um diário ao longo do ano: sempre reservo um tempo no final da aula para que eles escrevam o que quiserem, e quem quiser pode ler. Eu respeito muito a intimidade deles; alguns chegam a arrancar a folha do diário e me entregam, mas eu só leio com sua autorização.

Depois da redação, conforme o prometido, eu conto a história para eles. Invento na hora. Graças a Deus, tenho essa habilidade de contar histórias. Narro a lenda de como surgiu meu nome: existiam dois povos, um chamado Francis, que vivia nas margens do rio Taico e possuía extrema habilidade no manuseio de espadas, machados e outras armas de combate corporal; era beneficiado por morar próximo ao rio e, portanto, se alimentava melhor e conseguiu, ao longo do tempo, desenvolver melhor capacidade cognitiva; os Francis viviam em construções parecidas com ocas e tinham uma estrutura social bem definida. O outro povo era chamado de Lenas, formado por pessoas mais altas, com estrutura física bem mais forte que os Francis; por viverem nas montanhas, tinham excelentes habilidades com arco e flecha; porém, eram menos inteligentes. Os dois povos sempre guerreavam para ver quem ficaria com o rio, mas os Lenas eram derrotados porque, quando avançavam para um combate corpo a corpo, os Francis possuíam armas melhores e técnicas de combate mais efetivas.

– Vocês sabem por que eles disputavam o rio? – Eu gosto de pedir a participação deles para envolvê-los cada vez mais na história.

– Para nadar! – responde uma aluninha.

– Para usar de banheiro! – responde o capirotinho chamado Bruno, e a sala inteira ri.

– Para poder pegar os peixes e comer – fala o Samuel, o mais gordinho da sala.

– Nossa, você só pensa em comida – retruca o Bruno.

– E você só pensa em cagar – devolve o Samuel.

– Calma, calma, crianças! Estão todos certos de alguma forma – eu intervenho. – Eles disputavam o rio porque ele fornecia a água e os alimentos de que eles precisavam. Mas, certo dia, apareceu um monstro que começou a comer todos os animais e acabar com toda a água do rio. Percebendo que, se não acabassem com o monstro, os Francis seriam extintos, eles decidiram subir a montanha e pedir a ajuda dos Lenas; afinal, o monstro era muito grande e a melhor forma de matá-lo seria com a utilização do arco e flecha. O líder dos Francis prometeu que, se os Lenas ajudassem, iriam dividir as margens do rio. Os dois povos se uniram e formaram os Francislenas, mataram o monstro e perceberam que poderiam viver unidos e compartilhando os benefícios que o rio proporcionava.

Histórias sempre funcionam com eles: prestam muita atenção. Depois disso, desminto o que falei no início da aula e digo que, no outro dia, a professora Rute estará de volta e que eu gosto muito dela. Acho que eles gostaram de mim. Todos vão embora aparentemente bem contentes, e eu até ganho dois desenhos – a gente sempre ganha desenhos; dá para montar uma exposição pedagógica. De repente, um dos alunos me abraça muito forte, um abraço que demora uns dez segundos. Na verdade, eu nem reparei muito nele durante a aula; ele é bem quieto, quase imperceptível. Ele veio com a sua mochila azul bem surradinha, me abraçou bem forte e agora diz:

– Como estão a Francis e a Lena que moram dentro de você? Brigando ou unidas? Como está o seu povo interior? – Ri e vai embora!

Fico meio sem reação. Dou tchau para ele e fico parada, refletindo sobre essa pergunta que o capiroto fez. Por que será que ele me perguntou isso? Será que ele sabia o que estava perguntando ou foi algo totalmente aleatório? Porque essa questão realmente tem muito significado para mim, pois vem totalmente ao encontro dos meus conflitos internos. Faz todo o sentido neste momento da minha vida, por causa de tudo que eu estou vivendo: separação, meu filho longe de mim, eu tentando me reencontrar comigo mesma e recomeçar. Os capirotos, na maioria das vezes, fazem as mesmas perguntas clichês: "professora, é para copiar?", "vai cair na prova?", "posso ir ao banheiro?", "é dupla de dois?". Ou, então, eles fazem um *talk show* pedagógico sobre a nossa vida pessoal: "você namora?", "tem filhos?", "como é o seu marido?". A pergunta mais revoltante é: "professora, você só dá aula ou trabalha também?". Porém, às vezes, surgem perguntas surpreendentes e espontâneas. E essa me surpreendeu muito! Vou para casa meio reflexiva, mas, ao chegar e ver o tanto de atividades que preciso preparar, a reflexão vai toda embora. A gente não tem tempo nem para refletir nessa vida.

Antes de dormir, resolvo escrever no meu diário. Não posso ignorar aquela pergunta martelando na minha cabeça e como a atitude simples daquele menino mudou algo dentro de mim.

• • • •

Acordo toda trabalhada na reflexão, pensando muito no Mateus e na minha vida como um todo. Estar longe do meu filho é a coisa mais horrível do mundo, mas, ao mesmo tempo, ficar sozinha tem as suas vantagens sociais e econômicas. O Mateus, como qualquer outro adolescente, consome muito dinheiro. Então, apesar de eu sentir muita falta dele, decidi aproveitar ao máximo esse momento sozinha para organizar a minha vida em todos os aspectos. Falando nisso, tenho que organizar um dos quartos, que está abarrotado de material escolar. Não sei de onde brotam tantas folhas! Acho que elas se relacionam entre si: os papéis A4 fazem amor e nascem os post-its.

Esse lance de acumular as coisas começa de uma maneira bem inocente. Você começa com o desenho de um aluno, depois ganha uma cartinha; para realizar uma atividade, resgata sucata abandonada, depois guarda essa sucata porque poderá usá-la num futuro qualquer... Quando se dá conta, o quarto está intransitável! Dá para montar outra exposição pedagógica. Tem de tudo lá: atividade mimeografada, fita cassete, Telecurso 2000, xerox, xerox do xerox e a extinta Enciclopédia Barsa. É fato: sua casa se torna a verdadeira *La casa de papel*.

Decido me levantar e tomar atitudes práticas para organizar meus povoados internos. Mando uma mensagem para o Mateus: "Bom dia!", acompanhada de uma imagem de um urso cheirando uma rosa. Eu sei que ele odeia esse tipo de mensagem. "Mandei essa foto só pra encher o seu saco. Mamãe te ama muito. Vamos ver um filme qualquer hora dessas?", envio essa outra logo após a foto do urso, para amenizar um pouco.

Percebo que ele visualizou a mensagem, mas não me respondeu; ignorância um, afetividade zero. Tudo bem, eu sabia que isso estava sujeito a acontecer, mas isso não vai parar a minha meta de colocar as coisas no lugar e tentar amenizar os meus conflitos interiores. Preciso assumir as rédeas da minha vida e do meu cheque especial. Até mando uma mensagem para o Miguel, o tio do Cauê, de um metro e oitenta, barba linda e boca carnuda: "Oi". É só um oi, mas, para quem não tinha mandado nada, já é um começo. E já mando no grupo das meninas:

"Adivinhem com quem estou falando?"

"Não acredito!", responde a Marli, espantada com a minha coragem.

"Ah, só acredito vendo. Deve ter mandado só um oi para o rapaz e já está contando vantagem", diz a Josi.

"Depois eu conto pra vocês o babado que está rolando", falo isso só para deixar as meninas curiosas. Na verdade, nem o meu filho nem o Miguel me responderam ainda.

Mas nada vai me parar, nada! Decido ir trabalhar mais arrumada: coloco minha melhor legging, blusa soltinha, e até seco o cabelo, mesmo sabendo que eu terei um dia terrível e vou encontrar o meu pior aluno. O nome dele é Pedro Henrique; no meu diário, tenho um capítulo inteiro destinado a ele. Aliás, todos os meus piores alunos ganham um capítulo especial. Se for juntar os textos destinados a eles, dá para fazer uma enciclopédia. Tenho uma teoria de que a mãe coloca nome composto no filho para poder nomear a outra criança que vive dentro dele, porque ele não está sozinho naquele corpo! Não faz sentido... Ele é uma entidade mirim! Só de pensar nele já me dá três tipos de arrepios, mas, por algum motivo, eu estou tão determinada que nada vai me impedir de ter um dia abençoado. Nada pode me impedir!

Quer dizer, quase nada, a não ser o carro que está sem bateria. Quando dou a partida, ele não liga. Com certeza eu não reparei e esqueci o farol ligado. Sabe quando você ri de nervoso? Meu Deus! É tanta coisa na cabeça da gente que, a cada hora, é uma bizarrice diferente que acontece! Acredita que, um dia, fui trabalhar de carro e voltei de ônibus? Quando cheguei em casa, ainda achei que tivessem roubado meu carro. Depois de ligar para Deus e o mundo, lembrei que o carro estava na escola!

Enfim... Não iria dar tempo de esperar o seguro chegar, nem de pegar um ônibus, então decido me dar ao luxo de usar o aplicativo de transporte individual. Dou uma desmotivada quando vejo que o valor é R$ 27,80 e quase corro para o ponto de ônibus para tentar pegar o busão, mas, com uma dor no coração, eu aciono a corrida – já sabendo que terei que economizar no almoço. Professora é assim: todo gasto gera algum tipo de consequência futura na estabilidade financeira; é um efeito borboleta: gastou aqui, tem que economizar ali.

– Bom dia, Francislena. É isso mesmo? – pergunta o motorista logo que entro no carro.

– É isso mesmo. – Não sei se ele está confirmando meu nome convencionalmente ou está surpreso, tipo: "como alguém se chama Francislena?".

– É isso mesmo! Mas pode me chamar de Francis se achar melhor – falo justamente para ele notar que eu percebi que ele achou o meu nome estranho.

– Ok. Você tem alguma sugestão de caminho ou posso seguir o GPS?

– Pode seguir o GPS, moço, tranquilo.

– Você é professora?

– Aham! – respondo isso, mas queria perguntar: "como é que você sabe?". Será que eu estou tão acabada assim? Justo hoje que eu estava me sentindo tão bonitinha! Dou uma geral em mim para ver se não há um sapato trocado, uma orelha sem brinco, somente uma sobrancelha feita, ou quem sabe cola quente ou glitter no meu cabelo; a gente que é professora sempre deixa um resquício pedagógico espalhado no corpo.

— Eu estou perguntando por causa do endereço. Moro perto dessa escola que a gente *tamos* indo. Inclusive, o meu filho estuda lá.

— Não seria "nós estamos" indo? — questiono-o.

— Isso, a escola que a gente *tamos* indo — ele insiste, sem perceber que eu estava corrigindo-o.

— Eu trabalho nessa escola em que *nós* estamos indo. *Nós*, eu e você, estamos, es-ta-mos, indo! — falo bem pausadamente para ele notar a diferença.

— Você é engraçada, fala igual professora mesmo! Até *me lembrei-me* da minha professora, ela falava igual você.

"Lembrou dela, mas esqueceu tudo o que ela te ensinou!" Não digo isso, mas fico com muita vontade. Eu tenho que parar com essa mania de ficar corrigindo as pessoas. A burrice delas não é minha responsabilidade. Alguns têm intolerância a lactose, outros a glúten, e eu tenho a erros de português. Chega a me dar até coceira. Decido ignorar a ignorância e continuar o assunto como se nada tivesse acontecido.

— Ah, que legal, como é o nome do seu filho?

— Willdson!

— Willdson?! — E ele achando o meu nome estranho, pelo amor de Deus! O pior de tudo é que eu já tinha dado aula para esse capirotinho.

— Você conhece?

— Claro, já dei aula pra ele. Nossa, muito bonzinho! — decido mentir para garantir as minhas cinco estrelas na avaliação, ainda mais depois de eu o corrigir. É uma situação muito constrangedora quando você encontra um pai de aluno fora do habitat pedagógico, ainda mais o pai de um mau aluno. Quando estamos chegando, eu falo para ele: – Para bem na frente da escola pra todo mundo ver que eu estou chegando de motorista de aplicativo.

Chegando na escola, passo correndo pelo portão, pego as minhas coisas no armário e corro para a sala, porque estou atrasada para começar a aula. No caminho, recebo a notificação de mensagem do Miguel: "Oiiiii! Como está?". Ai, meu Deus! Justo no momento em que eu não posso responder. Só Jesus na causa!

Ao entrar na sala, percebo que o Pedro Henrique Capiroto Mor não está lá. O lugar dele está vazio. Que sensação maravilhosa! Quando o pior aluno falta, é um orgasmo pedagógico! Com muita calma, passo os olhos "escaneando" a sala para ver se ele não está camuflado ou se não está possuindo o corpo de outro aluno, mas ele realmente não está lá. Nossa! Eu imediatamente agradeço a Deus e a todos os anjos e santos, mas não comemoro muito, porque o pior aluno sempre chega atrasado e acaba com a nossa alegria. Acho que ele sabe que a gente fica feliz e se esconde, vendo a gente comemorar em vão, mas, graças a Deus, a aula segue e ele realmente não se manifesta; quer dizer, não chega.

Durante o intervalo, eu dou uma fugidinha e vou olhar o meu celular. Além de mensagens automáticas da minha operadora, o Miguel me mandou várias interrogações questionando a minha demora em respondê-lo.

"Oiê, desculpa a demora, mas é que, quando eu vi a sua resposta, estava entrando para a sala com os capirotos, então não deu tempo de responder. E aí, como estão as coisas? Tudo certinho? Tudo legal?"

Mas logo depois me dou conta: quem é que pergunta "tudo certinho"?! Ai, que vergonha! Não sei se apago a mensagem. Será que dá tempo de eu apagar? Tarde demais, ele já leu e me manda uma extensa risada, aquelas feitas com letras maiúsculas. Tenho certeza de que ele está rindo da minha cara e já estou escrevendo "desculpa" quando ele continua:

"Adorei o termo. Capirotos. Com certeza, o meu sobrinho se encaixa nessa classificação. Comigo as coisas estão indo muito bem, e com você?"

"Ufa, achei que estivesse rindo de mim, rs. Comigo está tudo bem também, uma correria louca. Ser professora não é fácil, mas, se colocar na balança, tenho mais motivos para agradecer do que para reclamar." Nossa, nem parece eu falando. Vivo reclamando das coisas, mas essa é a minha versão digital, minha versão coach se manifestando.

"Concordo com você! O dia que faltarem argumentos pra você agradecer, fale comigo que eu tenho uma lista de elogios a seu respeito. Posso te ajudar quando quiser!"

"Hihi, obrigada!"

Meu Deus, por que eu ri? Uma risada nem se encaixa nesse momento! Só depois que eu envio a risada, eu percebo a cagada que fiz. O cara acabou de ser um doce comigo e eu ri da cara dele. Não tem nenhum sentido! Ou ele vai achar que eu não gostei ou vai achar que eu realmente pertenço ao grupo das professoras com déficit de atenção. Continuo a conversa como se nada tivesse acontecido. Nos falamos por mais alguns minutos e, quando eu percebo, já está na hora de voltar para a sala de aula. Infelizmente o Mateus não me respondeu nada ainda.

A aula corre bem, tirando um estresse ou outro, o que é totalmente compreensivo. A professora só não vai se estressar na sala de aula se faltar todo mundo. Mesmo assim, é capaz de se estressar só com a energia pesada do lugar.

Eu estou saindo da sala de aula para deixar as minhas coisas na sala dos professores quando encontro Rute, a professora que eu substituí um dia antes. Corro ao encontro dela e pergunto:

– Rute, deixa eu perguntar. Ontem eu dei aula no seu lugar e, no final da aula, um aluninho que ficou quieto o tempo todo veio me abraçar. Queria saber o nome dele.

— Quietinho? Acho que você entrou na sala errada. Na minha sala não tem nenhum quieto, hahaha... Onde ele senta exatamente?

— Então, pelo que eu me lembre, ele senta na quinta cadeira da terceira fileira, contando da esquerda para a direita. Pera aí, não, contando da direita para a esquerda. Acho que, na verdade, é a fileira do meio, independente do lado que começar a contar.

— Hum... Pera aí, quinta cadeira da fileira do meio... Ah! É o Richard Samuel, um bem gordinho.

— Não, esse menino senta atrás do Richard Samuel.

— Ninguém senta atrás do Richard Samuel – responde a Rute.

— Às vezes senta, e você não percebeu porque ele é gordo.

— Olha o bullying, dona Francis – me repreende a Rute.

— E se o Richard sentou em cima dele, aí é que nunca vamos encontrar o menino mesmo!

— Francis, já chega! – me xingou segurando a risada.

— Mas você está rindo! – eu disse, segurando a risada também.

— Mas é de nervoso! Vá embora, sua bulinadora!

— Rute, me desculpa, o bullying é mais forte do que eu, mas fica entre nós. Voltando a esse menino, é um moreninho bem bonitinho, olhos claros, bem baixinho, não fala quase nada. Eu só percebi que ele estava ali na hora que o Samuel levantou.

— Hahahaha... Para, Francis! Não sei mesmo de quem você está falando! Mas vai amanhã na minha sala, aí eu vejo certinho quem é e te falo o nome. Mas por que você quer saber? Ele aprontou alguma coisa?

— Não! Muito pelo contrário. Ele é um querido, se comportou a aula inteira e, no final, veio e me deu um abraço. Achei tão bonitinho da parte dele.

— Nossa! Se comportou a aula inteira e depois te deu um abraço?! Com certeza esse menino não é da minha sala – ela diz isso e ri. Eu rio também, mas é de nervoso. Será que eu estou ficando louca? Não é possível, o menino até falou comigo. Mas, enfim, amanhã eu vou lá, a gente resolve esse enigma e eu agradeço o capirotinho pelo abraço pessoalmente.

Me despeço da Rute e corro para a outra escola. Eu esqueci que fui de aplicativo de transporte pela manhã e estou sem carro, então caço uma carona, vejo se alguém vai para o mesmo destino que eu. Graças a Deus, a professora Dagmar vai; ela e algumas outras meninas.

Você com certeza ficaria admirado se soubesse o tanto de gente que uma professora consegue colocar dentro de um Celta! O Globo Repórter deveria gravar sobre isso. E como tem Celta na escola! Acho que as professoras compram esse modelo juntas para ver se ganham desconto. Na verdade, esse modelo é unanimidade no meio pedagógico, por ser econômico. Mas, em se tratando de economia, eu só não tenho moto porque não tenho coragem, porque esse seria o meio de transporte ideal das professoras. Estou até imaginando os capacetes brancos, enfeitados com glitter. O moto-clube se chamaria "EVAs do asfalto".

Enfim, nós seis entramos no Celta, sem contar a motorista e as nossas bolsas – porque uma professora nunca está sozinha, sempre tem uma bolsa anexada em seu corpo. Além disso, dentro do carro há os materiais que estão disputando espaço com a gente. Você pode pensar que uma cartolina não ocupa muito espaço, mas uma coisa é uma cartolina solta no universo, alinhada em cima de outra cartolina; outra é uma cartolina num Celta lotado. Ela adquire proporções enormes! E o pior de tudo é que não se pode dobrar ou amassar, porque a professora vai usar. Fora as outras sobras pedagógicas, que fazem o carro parecer uma papelaria ambulante. Mas, mesmo com esse perrengue de espaço, é muito melhor assim do que pegar um ônibus no horário de almoço.

Ao longo do caminho, fazemos a via sacra pedagógica, deixando as professoras em suas estações escolares. Quando chegamos ao destino final, já há espaço suficiente para todas poderem respirar sem a ajuda de aparelhos. O dia se passa normalmente. Tirando o fato de eu voltar de ônibus, cheia de coisas na mão, vai tudo bem.

3 Permita-se

No dia seguinte, chegando à escola, vou correndo contar para as meninas que eu desenrolei uma conversa com o Miguel. Elas leem e ficam tirando sarro da minha desenvoltura, falam que eu uso palavras ultrapassadas. Segundo elas, parece que eu estava participando do extinto programa *Vai dar namoro?*, do Silvio Santos.

— Nossa, se ele aceitar sair com você depois dessas abordagens, é porque ele está com muita vontade! – diz a Josi, rindo da minha cara.

— Sai fora, Josi, eu só estou conhecendo o rapaz!

— Por isso mesmo. Quando a gente está conhecendo, é o momento de mostrar o nosso melhor. Na maioria das vezes, a gente até dá uma mentidinha e supervaloriza as nossas qualidades. Se você veste quarenta, fala trinta e oito; se veste trinta e oito, fala trinta e seis; se veste cinquenta e quatro, não fala nada e só posta fotinhos do rosto. É assim que a vida funciona. Você não pode ser tão sincera assim na paquera!

— Nossa, olha quem está falando! Acabou de usar a palavra "paquera" e depois eu sou a antiquada, Josi?

— Fica quieta, Francis. Falando nisso, ele sabe que seu nome é Francislena?

— Claro. Vocês fizeram questão de contar isso para ele no dia do show do Roupa Nova, e depois ele confirmou no Facebook.

— E além dele, tem mais alguém no radar, Francis? – pergunta a Mari.

— Não! Só ele e o pai do Guilherme Alencar, do terceiro ano! — diz a Josi.

— O pai do Guilherme é um gato! Pena que o menino puxou a mãe — diz a Marli, mordendo os lábios.

— Até você, Marli? — reajo surpresa à afirmação dela.

— Eu sou sofressora, mas não estou morta! Eu até já naveguei no Tinder — responde a Marli.

— Navegou? A palavra "navegar" foi extinta há vinte anos, nem orna com o Tinder. Mas e aí, você gostou do Tinder, Marli?

— Ah, Francis, até tem uns crushes, mas eu não dei muita sorte, não! Eu e meu marido nos conhecemos no Badoo. Você nunca navegou no Tinder, Francis?

— Eu não! — respondo.

— Vai baixar agora. Baixa aí, vai! Vamos ajudar você a desencalhar. Já está na hora de conhecer alguém — diz a Josi, toda empolgada, e não sossega enquanto eu não baixo. Depois do aplicativo baixado, ela me humilha ainda mais: — Depois da aula, nós vamos te ajudar a montar o seu perfil, senão é capaz de você colocar uma foto com o jaleco sujo de guache.

Após a aula, as meninas vêm correndo na minha direção. Eu achando que elas iriam me perguntar do Miguel, mas, em vez disso, vão logo pedindo que eu abra o Tinder para montar o meu perfil. A Josi toma o celular da minha mão e começa a mexer.

— Meu Deus! Você só tem fotos horríveis! Só tem foto de atividade pedagógica e de criança suja no seu celular! Se colocarmos essas fotos, quem olhar seu perfil no Tinder vai achar que você é o Patati Patatá. Vamos fazer umas fotos novas pra dar um upgrade nesse perfil! — A Josi aponta a câmera do celular para mim como se fosse fazer um book. — Tira o jaleco, faz uma pose, guria, sensualiza!

— Na sala dos professores? Está louca, Josi?

— Vai, Francis! Deita na mesa, cadê aquela sedução? Vai, danada!

— Você está louca? — Eu estou completamente sem jeito. Pode entrar alguém a qualquer momento, e as outras meninas estão botando pilha.

— Vamos, Francis! Morde o seu lábio inferior, passa o giz de leve na boca! Ah, não, melhor... Sensualiza passando o glitter do EVA no seu corpinho!

Enquanto a Josi tenta fazer um book sensual pedagógico, as meninas se acabam de rir.

— Vai, Francis, se apoia no mimeógrafo e empina essa raba pra cá! — diz a Mari.

— Segura esse buquê de flores de EVA e faz uma cara de *caliente*, comprime os olhos e faz beicinho — completa a Marli.

Eu estou rindo e um pouco constrangida, mas mesmo assim resolvo entrar na onda. Debruço meu corpo na mesa e mordo uma flor de EVA, depois encosto meu corpo no armário e apoio minha perna sobre a cadeira. À medida que as gurias vão rindo, eu me solto cada vez mais, faço várias poses de sedução dentro da sala dos professores. Bem no momento em que eu estou de quatro na mesa, mordendo o calendário escolar, a diretora Carmem entra na sala.

— Estou atrapalhando alguma coisa? — pergunta ela.

— Não! Eu estava demonstrando para elas a bagunça que o meu aluno fez na sala hoje. Ele subiu em cima da mesa. — Eu desço, toda sem graça, e coloco o calendário no lugar.

A diretora fica parada, me olhando, e um silêncio constrangedor paira no ar.

— E o meu, que pegou o guache amarelo e passou na bunda?! Ficou parecendo um vagalume dentro da sala — diz a Josi para quebrar o clima.

— Guria, o meu bateu a cabeça na porta porque ficou correndo igual um doido! Ele bateu tão forte que eu fiquei com dó... da porta! — conta a Mari.

Todas começamos a rir, a diretora Carmem sai da sala dos professores e o climão se dissipa.

— Isso é culpa sua, Josi. Você dá as ideias, eu, muito inocente, entro na onda e depois me lasco. Faça o seguinte: pegue as fotos do meu Facebook mesmo, ou Instagram, sei lá.

— Tá bom! Vamos analisar as fotos das suas redes sociais, mas, se elas não forem boas, nós vamos fazer um book lá no pátio da escola.

— Minhas fotos até que dão um caldo! — respondo.

— Nossa, Francis! Essas suas fotos do Instagram até que enganam... Olha aqui ela tirando foto de cima para baixo para esconder a papada! Quem vê essas fotos acha que você tem mais de um metro e cinquenta de altura! Meu Deus, o mundo virtual é uma ilusão... Vamos pegar uma foto de cada estilo para dar uma variada: uma família, mas sem o filho, porque essa informação vem depois que já tiver conquistado; outra foto na "night", para os boys acharem que você é descolada; uma lendo, fazendo a intelectual; uma do lado de outra pessoa com estatura normal, pra revelar seu nanismo; uma só desse rostinho lindo e, por fim, uma mais ousada mostrando os joelhos e um leve decote. Agora só falta a descrição. Pensei em colocar uma frase do Padre Fábio de Melo pra causar um impacto, mas acho melhor colocar algo sucinto e engraçadinho, tipo: "uma deusa, uma louca"... Francis, o que você quer colocar na descrição?

— Ah, amiga, sei lá. Escreve: "Gosto de homens, mas prefiro os cachorros!". Ou então: "Sou professora e estou louca para alfabetizar você!". Já sei! Coloca: "CA QUE QUI CO?... Vem 'ni' mim que eu te dou a resposta!"

Elas caem na gargalhada, nem parece que eu acabei de levar um esporro da diretora.
– Você é louca! – diz a Marielle. – Seria muito engraçado ver a reação dos homens para essa descrição. Com certeza teria um monte de *likes*.
A Marli interrompe nosso momento e diz:
– E se colocar assim: "Comida, comida e, para finalizar, comida. Só acrescente uma pitada de música e bom humor, acompanhada de uma bebida para descontrair, e o depois é consequência... Por fim, se tudo der errado, já deu certo, porque teve comida".
– Adorei, Marli! Olha ela, toda descolada. Está navegando no Tinder escondida da gente, sua danada! Mas será que não vai ficar muito assanhado? Vão achar que eu quero dar sem compromisso?
– Vão! – afirma a Josi.
– Então, pode colocar! – respondo e voltamos a rir igual a umas loucas. Detalhe, estamos fazendo essa algazarra na sala dos professores. Sempre que nos empolgamos, perdemos a noção da bagunça. Em virtude disso, sempre passamos vergonha de maneira desnecessária.
– Pronto, miga. Seu perfil está criado, agora é só navegar. Depois conta pra gente como foi! – diz a Josi, me entregando o celular de volta.
Nos despedimos e minha alegria passa quando eu lembro que estou sem carro e sem dinheiro para pedir um pelo aplicativo. Lá vamos nós pegar o ônibus para voltar para casa. Graças a Deus, eu não tenho aula à tarde.
Ninguém merece ônibus lotado, parece o Pelourinho no Carnaval. A diferença é que as pessoas no ônibus conseguem feder mais que o pessoal no feriado. A única coisa boa é que, quando entro no ônibus, vejo uma notificação de mensagem do meu filho, o que me deixa mais ansiosa ainda para chegar em casa – já

que mexer no celular dentro do ônibus é quase impossível; sem falar que é perigoso e dinheiro para comprar outro celular, nesse momento, eu não tenho. Primeiro tenho que pagar a garrafa da Tupperware que eu comprei da professora Cláudia.

Chegando em casa, vou ansiosa verificar a mensagem do meu filho. "Saudade também!". Somente isso ele me enviou. É pouco, eu sei, mas conversa com filho adolescente é bem monossilábica mesmo. Tanto é que eu chego a duvidar: "será que o Mateus consegue escrever mais do que uma palavra na mesma frase?". Deveria ter conversado mais com a professora dele, mas não teria adiantado muita coisa, porque durante um bom tempo eu fui a professora dele e isso também afetou bastante a nossa relação. O Mateus sempre reivindicava mudar de turma, dizia que se sentia pressionado e que eu o humilhava na frente dos outros meninos. Na verdade, eu pegava bem pesado com ele porque não admitia que o filho da professora fosse mal. Imagina a professora que não consegue ensinar nem ao próprio filho?!

Nunca tolerei que o Mateus fizesse bagunça, e ele era muito bagunceiro. O ruim de dar aula para o seu filho é que você o vê fazendo bagunça junto com todo mundo e tem que dar bronca no coletivo, chamar a atenção do seu filho da mesma maneira que você está chamando a atenção dos outros. Mas, no fundo, você está pensando: "aquele ali... Eu poderia sentar a mão nele!".

Certa ocasião, o Mateus se meteu numa encrenca na escola. Eles decidiram soltar uma bombinha na quadra e correr. Porém, quando eles jogaram a bombinha pelo muro da quadra, não notaram que havia algumas meninas sentadas, conversando, justamente onde a bombinha estourou e machucou uma delas. Após o ocorrido, quando eu descobri que o Mateus estava junto, em vez de esperar chegar em casa, xinguei ele na frente de todo mundo: aqueles sermões pedagógicos acalorados, somados a uma indignação materna. Chegando em casa, o Mateus chorou horrores e disse que não via a hora de poder escolher os professores, para nunca mais precisar ter aula comigo.

Hoje, vejo que eu errei em algumas coisas com meu filho. Sempre fui muito rude e exigente com ele. Acho que um pouco era medo de que ele se tornasse aqueles capirotos terríveis, depois evoluísse para um exu pedagógico e, um dia, chegasse em casa com um boné de aba reta, com o pescoço e a mão tatuados com os dizeres: "Deus no comando!" ou "Amor é só de mãe". Ou pior, "só de Pai"!

Durante um tempo, eu achei que fosse normal a nossa distância, mas, depois que eu me separei e ele decidiu ir morar com o pai, percebi que havia alguma coisa errada e que eu precisava me unir a ele novamente. Por incrível que pareça, o estopim foi justamente a pergunta que o capirotinho me fez: se os meus povos interiores estavam unidos.

Então, para não perder a oportunidade de continuar a conversa, mando para o Mateus um emoji de beijinho. "E me conte, como estão as coisas aí com seu pai? Tem se alimentado direito? Como estão as coisas na escola?" Vejo que ele não visualiza, mas sei que ele está on-line. Tudo bem! Não vou pressionar, melhor deixar as coisas acontecerem aos poucos.

Depois de tomar um banho e arrumar as minhas atividades, vou mexer no Tinder para ver como é. Abro o aplicativo e já carrega a foto de um rapaz. À medida que eu manipulo as fotos, entendo que para a direita eu curto e para a esquerda eu descarto. Até que é legal, mas tem de tudo: homens, mulheres, mais novos, mais velhos... O pessoal não tem filtro, todo mundo a fim de se relacionar. Apesar da pouca experiência no aplicativo, não preciso de muito tempo para notar que existem uns padrões de perfis:

- Saradões – aqueles que só colocam as fotos sem camisa. Parece que não têm uma camiseta em casa. Vou cadastrá-los na campanha do agasalho! Deve ser insuportável sair com alguém assim. A pessoa deve ficar falando só dela mesma, idolatrando o próprio corpo, fazendo força enquanto fala para valorizar os bíceps e se admirando o tempo todo.

- Team Discovery Channel – os amantes da natureza. Só tem foto de mato no perfil da pessoa: cachoeira, floresta, trilha. Como você vai se relacionar com uma pessoa dessas?! Para mim, não serve. Mal tenho tempo de resolver os meus compromissos na cidade, como vou acompanhar alguém até a Amazônia?

- Politizados – que ficam postando opiniões políticas no Tinder. Se eu quiser ler uma coluna política, eu compro um jornal. Ei? Que é isso? Quem quer ficar falando de política num primeiro encontro? De política a gente fala quando quer acabar um relacionamento, não começar.

- Pets – muito ardilosos e espertos, porque usam os animais para tentar atingir o nosso coração, e muitas vezes isso funciona. Quem é que resiste a um bichinho fofinho? Uma foto com animal faz toda a diferença. O problema é quando o animal é mais bonito que a pessoa, aí você fica com mais vontade de conhecer o animal do que o dono.

- Safadinhos – aqueles que só postam foto da boca ou uma outra parte do corpo, mas sempre de maneiras isoladas: um peitoral, um antebraço, seguidos da descrição "uma noite de prazer e nada mais!". Geralmente têm um relacionamento fixo e estão clandestinamente no Tinder, à procura de uma aventura.

No começo, eu estava bem criteriosa, procurando os caras que fossem os mais normais possíveis. Mas, depois de um tempo mexendo e vendo que vou demorar muito para ter alguma combinação interessante se eu continuar com um nível de exigência tão alto, resolvo ampliar meus filtros e começo a dar *like* em todo mundo que eu percebo que é legal e não ouve sertanejo. Nessa tentativa de acelerar as coisas, eu erro o comando e acabo dando *like* numa mulher. Para a minha surpresa, recebo a notificação: "Você e Marcela gostaram uma da outra!".

Meu Deus! Eu entro em desespero! Penso: "será que vou ter que sair com ela?". Acho melhor entrar em seu perfil para conhecer melhor; daqui a pouco eu tenho que sair com ela e nem sei nada a seu respeito. Imagina se ela é mãe de um aluno meu!? Será que eu conto que foi sem querer o *like*? Acho que vou apagar meu perfil! Não sei o que fazer e, de repente, para piorar as coisas, outra notificação: "Você tem uma nova mensagem".

"Olá, tudo bem?" – Mensagem de Marcela Andradas.

No desespero, resolvo acionar a Josi no Whats. Ela é a mais ousada e descolada de nós todas.

"Josi, Josi, me ajuda, pelo amor de Deus! Dei um *like* numa mulher no Tinder! Mas foi sem querer, porque não parava de aparecer mulheres para mim! Aí fui deslizar e meu dedo escorregou. Para piorar, ela deu match comigo e acabou de me mandar uma mensagem! O que eu faço?"

Nada da Josi visualizar a mensagem. Que raiva! Quando você mais precisa, as pessoas não estão on-line. Enquanto espero os conselhos amorosos e tecnológicos da Josi, vem outra notificação: "Você tem uma nova combinação. Você e Amadeu Orlando gostaram um do outro!".

Nossa, Virgem! Eu curti alguém que se chama Amadeu Orlando? Orlando é o nome do meu ex, Deus me livre! Quando eu abro o Tinder, além da nova combinação, a Marcela me mandou uma nova mensagem:

"Nos conhecemos? Você não me parece estranha!"

Eu já estou cogitando a ideia de que ela seja mãe de algum aluno meu, porque geralmente as pessoas que dizem conhecer professores são ex-alunos ou familiares dos alunos. Como eu ainda não tenho idade para ter uma ex-aluna daquela faixa etária, com certeza ela é a mãe de algum aluno! Já imaginou se for a mãe do meu capiroto mor? Seria um carma muito pesado, além de professora, virar a madrasta do meu pior aluno! Deve ser uma experiência terrível ter um filho muito, muito, muito bagunceiro, porque eu, na condição de professora, tenho a esperança de me livrar dele com a chegada do fim do ano, mas a mãe vai ter que ficar com ele para sempre.

Olha só no que eu estou pensando! Baixei o Tinder para poder arrumar um crush e estou pensando em como seria ser "padrasta" do meu pior aluno! Professora é assim mesmo: quando a gente menos percebe, os alunos tomam conta dos nossos pensamentos, e geralmente são os piores que orbitam a nossa imaginação.

De repente: "Nova mensagem de Amadeu"!

"Oi, linda!"

Ah, não, Jesus... Eu mereço? O que um Amadeu está fazendo aqui? "Oi, linda"? Porque ele não está no Badoo, ou na sala de bate-papo do UOL?! Volta para o correio elegante, Amadeu!

Eu já estou ficando totalmente estressada com essa situação. Primeiro, eu recebo mensagem de uma mulher e, agora, de um Amadeu. Fico muito nervosa, tomo duas gotas de Rivotril, respiro fundo, dou um tempo, corto uns EVAs para relaxar, mexo com algumas provas e me acalmo. Percebo que não há necessidade de ficar tão estressada; é apenas um aplicativo de relacionamento. Já que não há muitas alternativas e a Josi não me responde, resolvo zoar, ser eu mesma e me divertir um pouco.

"Oi, bonitão! De onde tc?", mando uma mensagem bem ao estilo sala de bate-papo para ver se o Amadeu se contextualiza.

"O quê?", replica ele.

"De onde tecla? Eu quero saber!"

"Do trabalho!"

"Trabalha com o quê, Amadeu?"

"Tenho uma empresa que trabalha com transporte e logística humana, e você?"

Transporte e logística humana? Com certeza o Amadeu deve ser motorista de aplicativo! Vou dar um upgrade na minha profissão também:

"Amadeu, eu trabalho com criação, aprimoramento e inserção de conteúdo para o desenvolvimento humano."

"Nossa, que legal! É tipo tecnologia da informação?", responde ele, todo empolgado.

"Digamos que é um pouco mais dinâmico e agitado, e às vezes dá muita merda!"

"Então, Francis, a gente podia *se vermos*, né?!"

Meu Deus, não troquei nem meia dúzia de palavras com a pessoa e ela já quer sair? Misericórdia!

"Amadeu, vamos deixar rolar, deixar a coisa acontecer naturalmente, aí quem sabe a gente *se vermos*!

"*Mais* a gente tem que aproveitar as oportunidades da vida!", responde ele.

Para eu sair com alguém que fala "se vermos", só se for na outra vida. E outra coisa: a pessoa que não sabe diferenciar "mais" de "mas" não merece confiança. Fico MAIS um tempo conversando com o Amadeu, MAS sem nenhuma evolução considerável. Aliás, os erros de português só aumentam. A única chance de eu encontrar o Amadeu é para dar aula particular para ele.

Já que a Josi não responde, resolvo conversar com a Marcela e explicar para ela que, na verdade, eu dei um *like* sem querer (e depois de conversar com o Amadeu Orlando, a chance de a Marcela ser mais interessante aumenta exponencialmente).

"Oi, Marcela! Tudo bem? Fico muito agradecida e honrada pelo match, mas infelizmente eu dei o *like* de maneira acidental. Meu dedo deslizou, hehehe. Peço desculpas pelo ocorrido!"

"Que pena! Adorei seu perfil, suas fotos, sua descrição, mas eu agradeço a sinceridade. E se, por acaso, você quiser experimentar alguma aventura nova ou apenas bater um bom papo, pode me chamar. Tenho certeza de que não vai se arrepender e, se provar, vai pedir bis."

Nossa, que ousada a Marcela! Se só existissem a Marcela e o Amadeu no mundo, com certeza eu aceitaria essa proposta de uma nova experiência, mas ainda é muito cedo para uma solução mais radical.

"Marcela, agradeço o convite e pode deixar que me lembrarei de você caso eu precise de uma boa conversa!"

"Eu garanto que a minha língua, além de articular boas palavras, também sabe fazer coisas incríveis. Você não irá se arrepender."

Nesse momento, minha Dirce até vibra! Penso: "que é isso, menina?! Está perdendo o juízo?!". Fico totalmente vermelha e sem graça em frente ao celular.

"Combinado!", é o máximo que eu consigo responder depois dessa cantada um tanto quanto apimentada. O Amadeu deveria fazer um curso de cantadas com a Marcela. Ela se sai muito melhor que ele.

Dou *likes* em mais alguns perfis e, à medida que navego no aplicativo, o meu nível de exigência diminui; ainda assim, alguns perfis eu não consigo curtir de maneira nenhuma: homens demasiadamente vaidosos, fãs incondicionais do seu próprio abdômen, aqueles que colocam uma foto só ou, os piores de todos, os que ficam ostentando os bens materiais com fotos no carro, na moto, com os dois juntos, na frente da casa com um imenso jardim; isso na internet, porque na vida real está tudo financiado. Encerro os meus *likes* e, até a hora de dormir, não tenho mais nenhuma combinação. Apesar de não ter sido muito efetivo, achei divertido navegar no Tinder.

• • • •

Acordo cedinho para trabalhar e percebo que, com toda aquela confusão do Tinder, eu havia me esquecido de responder o Miguel no Whats, então, para que ele não ache que eu estou desinteressada, resolvo iniciar o dia puxando assunto:
"Bom dia! Tudo bem? Desculpa a demora, ontem foi bem corrido. Pelo menos você já fica sabendo que eu sou bem atrapalhada, hahaha."
"Tudo bem, percebi que você não é muito boa da cabeça quando escolheu ser professora... Bom dia!"
"Na verdade, quando eu escolhi, eu estava boa da cabeça. O que aconteceu foi que a cabeça foi piorando ao longo da carreira."
"Faz sentido! E meu sobrinho, como está na escola?"
Longe de mim, graças a Deus! Penso isso, mas não respondo.
"Ah... eu não estou dando aula pra ele este ano, mas ele deve estar muito bem. É um excelente aluno, deve ter puxado a genética inteligente do tio."
"Na verdade, eu repeti três anos!"
"Tô falando do outro tio, por parte do pai. Você acha que é o único tio da família? De você, ele não puxou nada!"
"Nada?"
"Não. Poderia ter puxado a beleza do tio, mas quis vir com a cara do pai... Tem escolhas na vida que a gente não entende, né?!"

"Não acho ele feio!"

"Não estou falando que ele é feio! Estou falando que ele tem potencial de feiura a ser desenvolvido se tomarmos o pai como referência. E o pior é que ele tinha a opção de ser bonito se puxasse o lado materno da família, porque temos você como referência, mas já vimos que ele fez a pior escolha, hahaha."

"Você é terrível! Partindo desse pressuposto, ele errou duas vezes! Porque poderia ter escolhido ter aula com a professora mais bonita da escola, que é você, mas escolheu outra, que com certeza é mais feia."

"Nossa, mas nesse caso fui eu que acertei na escolha, porque eu que escolhi não dar aula pra ele... hahahaha, brincadeira! Ele é um querido! E me senti lisonjeada com o elogio! Já podemos marcar um encontro? Brincadeira, viu?! Nossa, que vergonha!"

"Vergonha do quê? Você chamou meu sobrinho de feio e está com vergonha de marcar um encontro? Só me falar quando e onde, que eu estarei lá..."

"Amanhã no Maranhão. Se você for é porque está a fim de me encontrar mesmo."

"Amanhã eu não posso. Podemos marcar para o sábado?"

"Combinado! Sábado é ótimo. Depois combinamos o local, tenho que ir encontrar as minhas crianças, hahaha... Beijo!"

"Até! Beijo, Francis!"

Meu Deus! Olha o meu progresso! Desenvolvi um papo legal, mas, quando eu me dou conta do horário, estou mega-atrasada! Tenho que aprender a paquerar e ir fazendo as obrigações do dia a dia em paralelo. Quando eu estava casada, nem interagia com meu ex-marido, então as funções cotidianas tinham total exclusividade, mas, agora que estou dedicando energia à paquera, tenho que adaptar essa nova função à realidade corrida da minha vida. Como sempre, coloco a primeira roupa que vejo na frente e voo para a escola; aliás, voo para o ponto de ônibus, já que esqueci de pedir para o seguro trocar a bateria do carro.

Enfrento o itinerário maravilhoso do ônibus. Tudo bem não ter conforto, mas tem dias que você não tem nem dignidade: é um empurra-empurra, você entra carregada e, na posição em que o corpo estabiliza, você permanece o trajeto inteiro. Então, o ideal é que você preveja e visualize a posição em que vai querer congelar, igual na brincadeira da estátua, mas com duração de quarenta minutos. Às vezes, o cabelo cai na cara e você tem que tirar assoprando ou tombando a cabeça repetidas vezes, já que suas mãos estão imobilizadas ou segurando milhares de materiais pedagógicos. Quem olha, acha que você tem tique nervoso, deve pensar: "olha lá a professora, fica tão estressada na sala de aula que está com 'probleminha'".

Enfim chego à escola e corro para encontrar as gurias. Antes que eu possa falar qualquer coisa, a Josi me pergunta:

— E aí, como é que foi no Tinder?

— Meu Deus, Josi! Foi um caos! Primeiro que eu dei uns *likes* sem querer e um deles foi numa mulher, que deu match. Quando ela puxou assunto, eu fiquei desesperada! Eu não sabia que o Tinder era tão avançado assim, que o esquema rolava entre todos, abertamente.

Nesse momento, a Josi começa a dar muita risada.

— O que foi? — pergunto, desconfiada.

— Dá pra escolher! É só selecionar a opção "homens" nas configurações do perfil. Eu que habilitei as mulheres pra você na hora que estava montando o seu perfil, hahahaha... Queria muito ter visto a sua cara de desespero, ia ser sensacional. Como era o nome da moça em que você deu *like*?

— Josi, eu vou matar você! Bem que eu estranhei mesmo aquele monte de mulher aparecendo nas opções! E eu pensando: "será que o Tinder acha que eu sou bi? Será que ele sabe que eu estou tão na seca que está me oferecendo uma opção a mais? Será que eles tiram uma conclusão a partir das fotos do perfil? Mas minhas fotos estão tranquilas...". E o pior: eu mandei mensagem pra você e a senhorita nem pra me ajudar, né? Fazendo a pêssega, que raiva de você! O nome da moça que deu combinação comigo era Marcela... Até que era bonita e falava superbem. Se ofereceu pra beijar a minha Dirce, hahaha...

— Até ela pressentiu que a sua Dirce está na seca? Que não alimenta a tadinha faz tempo? Que tá com a bichinha subnutrida, passando fome? Tenho até medo da hora em que você alimentar a Dirce. Cuidado pra não engasgar a bichinha!

— Sai fora, Josi, minha Dirce está de dieta, fazendo jejum intermitente.

— Jejum de dois anos? Isso não é jejum, é crise, bebê! Me empresta o celular aqui, deixa eu alterar a configuração pra você. Mas, depois da combinação com essa moça, ninguém mais deu combinação?

— Amadeu!

— O quê? Amadeu? — diz a Marli, segurando o riso. — Por que você deu *like* num Amadeu? Você alterou a idade limite do perfil de 45 para 90 anos?

— Apesar do nome vintage, ele não era velho, mas o papo não rolou. Ele não tinha assunto e a primeira frase dele foi "oi, linda!". Nessa hora, eu já sabia que boa coisa não viria, igual acontece com os alunos: quando o capiroto fala "eu não truxe" ou "professora", você sabe que haverá muito trabalho a ser feito. Se pudesse escolher, provavelmente não iria me relacionar com eles também!

— Que excelente ideia! Deveria existir um Tinder pedagógico, onde a gente pudesse escolher os capirotos pra quem iríamos dar aula. Eles teriam fotos mostrando toda a família e, a partir do perfil, a gente montaria a nossa sala. Imagina a gente escolhendo:

"tem luzes, não curti; a mãe usa shortinho e mostra o umbigo profundo, não curti; opa, olha esse pai bonitão aqui, vem aqui ter aula com a titia, curti!" – diz a Josi.

Caímos na risada; como sempre, o assunto acaba em escola e estamos dissertando sobre os alunos.

– Depois abre o Tinder pra gente te ajudar a escolher os crushes. Afinal, você está acostumada com o Badoo... E outra coisa, a julgar pelo seu ex, a gente percebe que você não escolhe muito bem. Daqui a pouco, vai aparecer com um Amadeu, fã de Amado Batista e bêbado, pra gente conhecer. Se você fizer isso, a nossa amizade acabou! – garante a Marielle, enquanto caminhamos em direção à sala de aula.

4 Louca, eu?

Durante a aula, dou uma escapadinha e vou atrás da professora Rute para perguntar sobre o aluno que me deu um abraço e que sentava atrás do gordinho. Chegando na sala dela, olho rapidamente e não avisto o menino.

— Oi, Rute, tudo bem? O menino da mochila azul veio hoje? — pergunto.

— Oi, Francis, tudo bem? Todos os alunos vieram hoje! Mostra pra mim onde é que ele senta. Aliás, pera aí, só um pouquinho. Sentem! Sentem agora! Senta, André! Ingride, volta para o seu lugar! André, está surdo?! SEN-TA-DOS! A professora Francis quer tirar uma dúvida com vocês... Pronto, agora sim. Francis, onde é que ele estava sentado?

Me dirijo até a cadeira do menino, que é a última da fileira.

— Ele estava sentado aqui, nessa cadeira.

— Ué... Acho que você está confundindo as coisas. Nessa cadeira não senta ninguém!

— Não é possível, gente, ele estava aqui! Um moreninho, magrinho, com cabelos cacheados, bem quietinho, que no final veio me dar um abraço.

— A senhora tá ficando louca igual à nossa professora! — afirma uma aluna.

— Louca vai ficar a sua mãe a hora que eu chamar ela aqui! Samuel, ele estava atrás de você. Aqui, oh! — explico.

— É, profe, a senhora foi a única que viu. Ninguém mais viu, tá ficando piradinha das ideias — fala o Samuel, rindo.

— Ninguém mais viu por causa do seu tamanho! Se tivesse outro aluno na frente dele, todo mundo teria visto, mas, com você e esse seu tamanho todo, ninguém conseguiu enxergar a criança! Eu só consegui ver porque sou mais alta e olhei por cima. E você também não ia ver porque o seu pescoço não vira totalmente!

— Francis, o que é isso? Não pode falar assim com o menino! — fala a Rute.

— Ah, Rute, me desculpe! Ficam me chamando de louca... Eu juro que tinha uma criança aqui, ela até veio me dar um abraço. Desculpa, Samuel, a professora ficou brava. Depois eu pago um lanche pra você se alegrar!

— Francis! Já deu! — fala a Rute, com a expressão fechada, abrindo a porta da sala. — Você deve ter confundido com outra criança. Eu mesma já me confundi várias vezes.

— É, devo ter me confundido mesmo. Vou voltar pra minha sala. Obrigada, turma. Tchau, crianças!

— Tchau, louquinha! — algumas crianças gritam.

— Louquinha é a ...

— Francis, não! — interrompe-me a Rute.

— Louquinha sou eu! — eu digo e saio da sala. Segundos depois, coloco a cabeça no vão da porta e grito: — E a mãe de cada um de vocês!

Vou embora para a minha sala, completamente desnorteada. Não é possível, gente! Será que eu fiquei louca? Eu juro que vi o menino, ele até falou comigo e me abraçou. Será que esse é o caminho de toda professora? Chega um momento em que você começa a ver as coisas? Gente do céu, se eu começar a ficar louca, eu exonero! Prefiro exonerar sóbria do que aposentar chapada das ideias. Estou tão abalada que resolvo passar no banheiro antes de voltar para a sala.

Vou fazer um belo e reflexivo xixi, questionando a minha sanidade, quando, de repente, vejo os pés de uma criança pelo vão inferior da porta.

– Quem está aí? O banheiro dos alunos fica lá fora!

Escuto a porta fechando e penso: "A gente não pode nem fazer xixi com dignidade. Será que eles vão infernizar até o xixi da gente?".

Quando eu saio do banheiro, vejo um desenho em cima da pia, desses desenhos rústicos e simples de criança, que parecem mais hieróglifos: as cabeças são bolas ovais, os corpos de palitos e os cabelos ressecados parecidos com fiapos de espiga. No papel está desenhada uma mulher, que parece ser a minha pessoa, e, do lado dela, um menino de mochila azul. Porém, o menino é maior do que a mulher. Tem um sol e uma árvore toda trabalhada no abstrato, com a seguinte frase: "Você é tão baixinha que o menino já é maior que você! Você não está louca! Como estão seus mundos interiores? P.S.: é verdade esse *bilete*!".

Eu fico estática por um tempo, pensando no ocorrido. Na verdade, eu estou com um mix de sentimentos: amedrontada, assustada e, sobretudo, confusa. Será que isso foi uma brincadeira de mau gosto? Quem foi o bendito capiroto que entrou no banheiro e deixou esse desenho? Saio procurando pelo banheiro, olhando embaixo de todas as portas.

– Quem está aí? Pode parar, hein?! Isso não tem graça, não! Vou chamar a sua mãe e ter uma conversa séria com ela. Pode aparecer!

Fico esperando alguém se manifestar, mas nada acontece. Quem poderia ter feito isso? Ninguém sabe dessa história a não ser os alunos da Rute... Ah, com certeza deve ter sido um dos alunos da Rute! O engraçadinho me seguiu até o banheiro só para poder aprontar comigo, mas, se eles acham que isso vai ficar assim, estão muito enganados! Vou resolver isso é agora!

Chego na sala causando já:

— Oi, professora Rute! Desculpa! Quem foi o engraçadinho que foi lá atrás de mim e colocou esse desenho no banheiro? Posso saber? E ainda me desenhou parecendo uma louca!

— Então fizeram o desenho igualzinho a você! — responde o Samuel.

— Ô, mini craque do Péricles, eu não falei com você, não! Eu estou falando sério. Quem foi?

— Mas, Francis, eu estou aplicando um teste. Ninguém saiu da sala. Se isso aconteceu agora, não foi um dos meus alunos. Deve ter sido uma criança de outra sala — afirma a Rute.

— Eu vou descobrir quem foi, e o aluno vai se ver comigo! Vou escrever um bilhete bem bonito para a mãe do capiroto que fez isso! E já sabem: louca é a mãe! Tchau, boa prova!

Eu volto para a sala, desnorteada. Quem poderia ter colocado aquele desenho na pia do banheiro?! Eu vi os pés de uma criança pelo vão da porta! Não é possível, gente. Chego à minha sala e nem me lembro do conteúdo em que estava trabalhando.

— Nossa, professora, demorou... Estava cagando? — pergunta o Pedro Henrique.

— Estava, Pedro. E, nesse tempo em que eu fiquei cagando, estava só pensando numa maneira de acabar com a vida de vocês! E já que você é todo engraçadinho, graças às suas piadas, eu quero os exercícios das páginas setenta e dois até a oitenta resolvidos na minha mesa! Quem não me entregar não vai embora. Hoje eu não tenho aula à tarde, posso esperar aqui o tempo que for.

Na verdade eu tenho, mas isso faz parte da chantagem pedagógica, essa pressãozinha infelizmente é um mal necessário.

— Ah, professora! — fala a Kimberly Lorraine, com voz de choro.

– A, B, C... Nem adianta reclamar. Depois você conversa com o Pedro Henrique e se acerta com ele, porque isso é culpa dele! Ninguém mandou ficar de gracinha com a minha cara.

Eu mando fazerem exercícios porque não estou com cabeça para lecionar, estou realmente questionando a minha sanidade. Será que eu vi o menino mesmo? Sei lá, às vezes é efeito colateral do Rivotril. Talvez eu deva aumentar a dose, isso, sim!

Após a aula, vou embora meio desacorçoada, pensando no que aconteceu. Andando em direção ao ponto de ônibus, olho para o outro lado da rua e ele está lá, o menino que me abraçou; é ele mesmo, reconheço pela mochila. Meu ônibus vindo de um lado e o menino indo para outro. Quer saber de uma coisa? Eu vou chegar atrasada para a aula da tarde, mas é melhor chegar atrasada e sóbria do que chegar no horário, mas toda trabalhada na loucura. Seguro firme as minhas bolsas cheias de papéis e EVA e saio correndo atrás do menino.

– Menino, capiroto, ei, me espera! Menino, capirotinho, vem aqui!

Saio correndo atrás do menino e as coisas vão caindo da bolsa, a pistola de cola quente vazando para fora; pareço uma muambeira que teve a mercadoria roubada. O menino está andando muito rápido, vira na rua atrás da escola. Quando eu chego nela, cadê o menino? Em vez de encontrá-lo, dou de cara com a diretora Carmem: enorme, parecendo um eclipse lunar. Ela vem crescendo na minha frente, parece um meteoro de vestido florido.

– Por que você está correndo na rua, Francislene?

– Dá licença, dona Carmem, dá licença! Menino, vem aqui!

Eu não tenho tempo de explicar nada; só para desviar dela, eu perdi um tempão! Continuo correndo descontroladamente, mas o capiroto sumiu no horizonte. Quando olho para trás, os dois inspetores, seu Antônio e seu João, mais o cachorro que fica na porta da escola, estão correndo atrás de mim. Quem olha chega à conclusão de que eu roubei material escolar e estou fugindo, sendo perseguida pelos inspetores e por um cachorro avulso.

— Dona Francislena, a senhora está bem? — pergunta o seu João.

— Claro, seu João, por quê?

— A dona Carmem falou que a senhora estava sendo assaltada, que saiu gritando atrás do meliante. Ela ficou com medo da senhora reagir e disse que era pra gente vir atrás da senhora pra poder ajudar, antes que a senhora fizesse uma loucura.

— Não! Nada a ver, seu João. Eu não fui assaltada, nada, só estava correndo atrás de um aluno meu pra entregar um negócio pra ele. Está tudo bem comigo. E outra coisa: você acha que, se um dia eu for assaltada, eu vou reagir? Só se for com uma pistola de cola quente! O que eu vou fazer? Vou colar o assaltante inteirinho? A hora que o assaltante identificar que eu sou uma professora, ele desiste do assalto — falo isso enquanto caminhamos de volta para a escola. Depois de correr sem êxito atrás do capiroto, pego meu ônibus. Toda suada e sem dignidade nenhuma.

Estou totalmente atrasada, o ônibus lotado, sovaqueira reinando, mas a única coisa que eu penso é no menino. De repente, quando estou chegando na escola da tarde, quem eu vejo com a mesma mochilinha azul? Ele! Isso mesmo! O aluno! Como ele veio parar aqui? Não é possível que acabei de encontrá-lo perto da outra escola, será que é ele mesmo? Mas é a mesma mochila! Jeová, eu não vou conseguir dar aula enquanto não tirar essa equação da minha cabeça. Ele está parado justamente em frente à padaria que eu vinha com o Mateus, eles têm a melhor coxinha da cidade aqui...

Como já estou cagada mesmo, resolvo descer um ponto antes da escola e ir até lá para ver se encontro o menino. Corro, chego lá e, como já previa, nada dele. Procuro rapidamente, pois estou atrasada, mas não o encontro. Vou correndo para a escola. Estou toda suada e com o rabo de cavalo todo torto – parecendo de cavalo de rodeio. Quando eu percebo, esqueci de comprar alguma coisa para comer (e olha que eu estava na padaria. Palmas para mim!). Vou para a sala com fome, esperando os capirotos chegarem em modo possessão. É a única coisa que pode piorar o meu dia.

No caminho, recebo um recado da inspetora:

– Professora Francis, deixaram essa encomenda para a senhora ali na secretaria.

– Quem deixou isso?

É um pacote com a logomarca da padaria em que eu estava.

– Ah, foi um menino moreninho, com uma mochila azul. Deixou e disse: "Pode entregar para a professora Francis, por favor? Fala que é uma coxinha pra ela e outra pro Mateus".

Eu olho dentro do pacote e é justamente a coxinha mais gostosa da padaria, bem no dia em que eu esqueci de comprar o meu almoço. Como isso chegou até mim? Será que foi o menino? E como ele sabia que o Mateus adorava essa coxinha? Nossa, faz muito tempo que a gente não vai naquela padaria!

Agradeço à inspetora e saio andando, atônita, pelos corredores. Com certeza eu não terei condições de dar aula para a turma da tarde também. Chego na sala e passo um trabalho.

– Abram o livro na página 22, respondam as questões e me entreguem até o final da aula. Esse trabalho vai valer nota!

– Professora, passa filme pra gente? – solicita um dos alunos.

– Qual filme? Essa é uma aula de português, peçam filme para o professor de história. Vocês querem que eu coloque "Xuxa só para baixinhos"? Ou "Alfabeto da Xuxa"?

– Ah, professora, eu não vou conseguir fazer!

– Por que não, Richarlisson?

– Porque eu estou sem o livro!

– Cadê o seu livro, criatura?

— Eu não "truxe".
— Eu não TROUXE! — retruco bem brava.
— A senhora também não? — pergunta ele.
— Não é isso! Eu estou te corrigindo. Senta com o Thiago e faz em dupla com ele!
— Professora, eu também não "truxe". Posso sentar em dupla?
— Sentem em dupla todo mundo, mas, pelo amor de Deus, comecem a fazer o exercício!

Essa com certeza não é a melhor técnica de aprendizagem, mas é a válvula de escape pedagógica utilizada por nós, professores, nos dias em que não temos condições de ministrar aulas. De repente, o Wanderson faz o seguinte questionamento:

— Profe, eu fiquei sem dupla. Posso fazer dupla de três?
— Pode, Wander, pode! Faça dupla de três, quatro, dupla de dança, faça dupla com o Batman, com a Joelma do Calipso, mas, pelo amor de Deus, comece a fazer o exercício!

Apesar de sempre corrigir os alunos, desta vez eu não tenho força para isso. Estou pensando e refletindo acerca de tudo que acabou de acontecer comigo! Comi a coxinha e, num impulso saudosista, mandei uma foto da embalagem para o Mateus.

"Lembra dessa coxinha, filho? Você adorava. Comi duas de uma vez."

Para minha surpresa, assim que ele visualiza, já me responde, seguido de um emoji feliz:

"Só mostrar não vale, tem que me levar pra comer de novo!"

"Com certeza, filho. Assim que você vier passar um final de semana com a mãe, eu te levo lá. Vou comprar uma de frango com cheddar pra você!"

"Cheddar é vida, mãe! Sem ser esse final de semana, no outro eu estarei com você, aí pode me levar! Tenho que ir!"

"Tchau, filho, beijo!"

Eu estou impressionada com essa conversa. Meu filho demorava horas para me responder, mas hoje me respondeu de maneira instantânea. O dia está recheado de fatos estranhos e eu não estou dando conta de administrar tudo isso sem uma dosagem extra de Rivotril.

Saindo da escola, resolvo passar na padaria. Afinal, estou muito intrigada. Quem será que comprou aquelas coxinhas para mim? E se foi o Mateus? Porque ele é o único que sabe que eu amo a padaria porque ele ama também. Sei que será praticamente impossível descobrir quem as comprou, mas eu preciso tentar. Me dirijo ao atendente e pergunto:

– Olá! Boa tarde. Sei que o senhor deve atender milhares de pessoas aqui, mas hoje recebi de presente duas coxinhas. A pessoa que comprou deve ter vindo por volta das quatorze horas. Sabe se uma criança comprou coxinhas aqui? Pode ter sido um aluno meu querendo me agradar, ou, dependendo do aluno, querendo me envenenar... Brincadeira! Na verdade, eu não gostaria que ele gastasse o dinheiro dele comigo. Sabe me dizer se foi um menino com uma mochila azul que comprou as coxinhas?

– Boa tarde. Então, senhora, muitas pessoas passam por aqui. É difícil pra mim saber quem comprou as coxinha!

– As coxinhas! As coxinhas! – corrijo o atendente. É péssimo isso, mas é mais forte do que eu. – Enfim, vamos focar no objetivo. Você não se lembra se um menino moreno, com uma mochila azul, passou por aqui e comprou duas coxinhas?

– Não *mim* lembro, não!

– Não *me* lembro! *Me*, não *mim*. O correto é "não me lembro", tá?!

– *Podexá*, a partir de agora vou *mim* atentar mais e não vou errar. A senhora pode ter certeza de que, se eu *se* lembrar de alguma coisa, aviso a senhora. E obrigado pela dica!

— Não agradeça a dica, não. Na verdade, ela nem adiantou, mas, de qualquer forma, muito obrigada pela atenção. Você é muito gentil! Ah... Aproveitando que eu estou aqui, vê mais duas coxinhas, por favor?
— Mais duas? A senhora tirou o dia para meter *os pé* na jaca! Já ganhou duas e agora quer mais duas? *Benzadeus*, Deus te crie! Já vi gente gostar de coxinha, mas a senhora está de parabéns!
— Que é isso? Elas nem são para mim. Estou comprando para devolver para o menino! — Na verdade, são para mim, sim, mas fico com vergonha. Realmente, quatro coxinhas em um dia é um pouco exagerado.
— Ah, tá. A senhora vai devolver uma coxinha para um menino que a senhora nem sabe quem é? Conta outra pra cima de *eu*!
— Pra cima de *mim*! O correto é *mim*!
— Acho que a senhora está precisando de coxinha mesmo pra poder relaxar.
Enquanto ele fala, vejo que meu ônibus da volta está passando. E quem eu vejo de pé, acenando para mim de dentro dele? O MENINO! Não penso duas vezes e saio correndo igual a uma louca para ver se consigo pegar o ônibus no próximo ponto. Enquanto corro, escuto a voz do atendente:
— Coxinha, senhora, a sua coxinha!
Que cena, meu Deus. O atendente correndo atrás de mim com um saco de coxinhas na mão, e eu correndo atrás do ônibus com duas bolsas enormes cheias de material escolar, gritando:
— Motorista! Motorista, para esse ônibus!
Quem olha a cena, deve pensar: "nossa, aquela moça está numa dieta forte mesmo, está decidida! Porque está literalmente fugindo da comida!".
Graças a Deus, o motorista para e eu consigo entrar. Mesmo diante das dificuldades de andar dentro do ônibus, percorro toda a sua extensão olhando atentamente cada centímetro, com todo

meu faro de "capiroto kid" ativado. Chega um momento da vida da professora que, além de ver a criança, ela consegue sentir sua presença. De repente, enxergo uma pequena mochila azul, me aproximo e já vou tirando satisfação:

— Menino, você está doido? Quer me deixar doida? Que negócio é esse de ficar fugindo de mim e aparecendo igual a uma assombração?

De repente, vira de frente para mim um menino totalmente assustado, completamente diferente do menino que me abraçou. A única coisa comum entre os dois é a mochila azul. Ele fica me olhando com uma cara estranha, sem voz. Eu não sei o que fazer: chamei a atenção de um menino desconhecido no ônibus, na frente de todo mundo. Durante uma breve pausa, a única coisa em que penso é: "Continua a chamar a atenção, faz de conta que você conhece esse menino de verdade".

— Eu estou falando com você mesmo! Eu trabalho na escola em que você estuda e sei da bagunça que você anda fazendo. Não se faça de desentendido! Vou procurar a sua mãe. Aliás, eu vou chamá-la para falar do seu comportamento.

Se a criança tiver algum tipo de culpa no cartório, é só acionar a mãe que ela já entrega os podres; é quase uma delação premiada versão kids. Dito e feito: bastou eu citar a mãe do garoto, ele já começa a se justificar.

— Não, tia, não, pelo amor de Deus! Eu vou melhorar, não chama a minha mãe, não!

— Eu acho é bom! Estou de olho em você, hein?! E você já percebeu que eu posso aparecer do nada, quando você menos espera, então fique esperto! — Depois de dizer isso, saio toda plena, falando em voz relativamente alta e olhando para as pessoas.

— Essas crianças de hoje em dia... Se a gente não colocar juízo, elas perdem o limite.

Percebo algumas pessoas assentindo com a cabeça e concordando comigo; ou seja, de louca passei para uma educadora comprometida. Mas, no fundo, eu estou totalmente preocupada com a minha sanidade mental. Estava correndo na rua atrás de uma criança que eu nem sei se existe! Meu Deus, será que isso significa que eu estou chegando no final da minha vida de professora?! Será isso um sinal do fim dos tempos?!

Chego em casa e a única coisa que eu quero é um banho. Estou exausta, mereço algumas gotinhas de calmante. Já o cortei da minha vida e venho tentando viver sem esse tipo de auxílio químico, mas hoje eu realmente mereço. Antes do banho, tomo umas dez gotinhas de Rivotril – geralmente eu tomo quatro, mas decido fazer *open bar*. Tomo banho, lavo a cabeça e saio com ela repleta de condicionador. Eu esqueci de enxaguar o cabelo! E isso só dá mais abertura ao questionamento quanto à minha sanidade. Será que eu estou ficando louca? Além de ver alunos, será que vou começar a esquecer as coisas? Esse é o início do fim de toda professora? Talvez a loira do banheiro não seja um espírito, apenas uma professora que foi ao banheiro e nunca mais voltou para a sala de aula.

Decido esquecer esse assunto. Abro o Whats e tem algumas mensagens do Miguel. Conversar com ele pode ser uma boa solução neste momento. Penso em contar sobre o ocorrido, mas acho melhor ocultar isso por enquanto. Trocamos uma excelente ideia. Ele sempre tem um papo leve, bem-humorado e descontraído. Diante do que eu estou vivendo, decido dar um passo a mais. Não sei quanto tempo mais vai durar a minha sanidade mental, então, num ato de ousadia, mando para o Miguel:

"O papo está legal, já percebi que nos damos bem, mas você não vai me chamar pra sair antes de sábado, não? Vai ficar só na passividade?"

"Nossa, Francis! Aliás, alguém pegou o celular da Francis? Devolva pra ela, por favor. Eu estou meio paralisado com essa mensagem, mas, se é por falta de convite, garanto que esse equívoco não vai acontecer mais! Pode me passar o endereço?"
Meu Deus! Ele quer sair agora, mas eu já tomei o meu Rivotril. Será que eu estou em condições de sair? Quer saber de uma coisa? Chega de me policiar demais, dane-se!
"Nossa! Olha que ousado esse Miguel. Aonde iremos?"
"Por que sair se podemos tomar um belo vinho na sua casa?", diz ele.
"Nossa, Miguel. Atendimento delivery? Será que eu mereço tanto? ME-RE-ÇO, anota aí o meu endereço."

Num ato de impulsividade, passo o endereço e vou me arrumar correndo. Se tem um dom que eu desenvolvi nessa vida é este. Eu estou muito zonza e rindo à toa, mas, apesar do tom de loucura, me sinto viva; bêbada e viva. De repente, chega a mensagem do Miguel: "Daqui a quinze minutos estou chegando. Prepare as taças que o vinho está na mão".

Agora não tem mais volta. Dou uma geral na casa para ver se está tudo no lugar, e ainda bem que meu apartamento é pequeno. Enquanto eu aguardo o Miguel, abro o Tinder e começo a dar *like* em todo mundo, tipo: o gerente enlouqueceu! Acho que toda a vontade de viver a vida está se manifestando neste momento. Até mando um "oi" para o Amadeu, só para provocar. Eu não tinha reparado, mas há várias notificações de combinações esperando uma mensagem minha. Observo que tenho alguns pretendentes bem bonitinhos, bem melhores que o Amadeu.

De repente, o interfone dispara a tocar e meu coração dispara junto. É o porteiro anunciando o Miguel. Autorizo a subida dele e dou a última verificada na casa. Aparentemente está tudo ok. Não sei se o recebo sentada, se fico apoiada no batente da porta, se dou um abraço bem *caliente* ou só um beijinho gospel; mas não tenho mais tempo de me planejar: ele já está batendo à porta. Abro meio sem graça e dou um beijinho no rosto, seguido de dois tapinhas nas costas. Quem dá dois tapinhas nas costas de alguém? Eu estou cumprimentando ou desejando os pêsames?

— Entra, Miguel, não repara a bagunça! Tudo bem?

Quando a gente fala "não repara a bagunça", é aí que a pessoa repara mesmo. É uma estratégia muito ruim essa. Em casos como este, a melhor coisa é silenciar e colocar Deus no comando. Se a pessoa quiser reparar, tem que ser uma escolha dela.

— Melhor agora, que eu estou aqui! — diz ele.

— Também acho! — respondo.

— Vai me acompanhar neste belíssimo vinho? — Ele me mostra a garrafa. Eu não entendo nada de vinho, mas parece ser bom.

— Claro, Miguel, me parece bem gostoso!

— Esse vinho é chileno.

Eu o interrompo antes que ele continue a descrever o vinho.

— Eu não estou falando do vinho. O adjetivo "gostoso" se refere a quem trouxe o vinho! Vou ali buscar as taças e o abridor. — Eu estou muito assanhada. Dez gotas de Rivotril não me fizeram bem. Será que Rivotril é afrodisíaco? Abro a gaveta da cozinha e descubro que eu não tenho abridor.

— Na verdade, eu trouxe só as taças... porque eu não tenho abridor.

— Deixa que eu afundo a rolha! — diz ele.

— Hum... vai afundar a rolha? Afunda bem fundo! Seu rolhudo! — Ah, meu Deus, eu nem queria falar isso! Com certeza, eu estou alterada demais! Por um lado, eu quero rir; por outro, estou assustada comigo mesma!

Miguel consegue abrir a garrafa com um pouco de dificuldade e nos serve. Eu não estou muito habituada a beber vinho, prefiro beber caipirinha e cerveja, que são mais baratas. Vinho

75

é uma bebida que não combina muito com a minha realidade orçamentária.

— Esse vinho é extraído de uma reserva privada, você gosta?

— Nossa! Nossa! Nossa! — É a única coisa que eu consigo falar neste momento. Não tenho o menor conhecimento sobre vinhos, e isso, aliado ao Rivotril ingerido, deixa meu raciocínio totalmente comprometido.

— Qual vinho você prefere? Seco?

— Não, prefiro os molhados, principalmente se for de reserva privê!

— O quê? Reserva privê?

— É, Miguel! Igual a esse vinho paraguaio que você trouxe, ele é privê.

— Privado, você quis dizer?! E o vinho é chileno, não paraguaio!

— Miguel, não vamos nos atentar aos detalhes, vamos beber logo! — Dou uma golada com força no vinho. Só para registrar, eu prefiro os vinhos docinhos, e este é seco tipo vinagre. A hora que o vinho desce, parece que um gato com as unhas afiadas está passando pela minha garganta!

— Gostou? — pergunta Miguel.

— Demais! — respondo meio rouca, engasgando e tossindo; minha voz parece a da Aracy, do Ômega 3.

Penso em tomar igual a remédio, num gole só, para poder encerrar logo o meu sofrimento. Respiro fundo, conto até três e viro o restante do vinho para dentro. Nesse momento, sinto uma lágrima escorrendo pelos meus olhos. Um minuto depois de ter virado a taça de vinho, minha cabeça começa a girar e o Miguel se multiplica — parece que tem um gêmeo siamês grudado nele. Tudo fica em *slow motion*, parece que alteraram a gravidade da Terra. Eu acho que o álcool potencializou o efeito do Rivotril.

— Você nunca me contou. Por que se separou?

Eu ouço a pergunta, mas não consigo processar a resposta. Fico apenas olhando para ele com um sorrisinho de miss. O silêncio é constrangedor, eu ouço a minha consciência dizendo: "Responde!". E eu não consigo responder! Diante do meu silêncio, ele me faz outra pergunta.

— Então, o que te motivou a me convidar para sair?

— Falta de sexo!

— O quê? — pergunta o Miguel, espantado.

Essa seria a resposta para a primeira pergunta: eu me separei por falta de sexo. Na verdade, o motivo foi bem mais complexo, mas este foi o único que eu consegui resumir naquela condição. Como eu vou explicar para o Miguel que estou com *delay* na conversa? O meu fuso-horário está diferente do dele; ele está uma pergunta à frente de mim.

— Mas vocês nunca transavam?

— Às vezes, é difícil resolver tudo sozinha!

Essa é a resposta para a pergunta sobre o que me motivou a querer encontrá-lo. Cristo Amado, ele está entendendo tudo errado!

— Francis, você está bem?

— Sim! Estou ótima, está maravilhoso. Esse vinho reservado, paraguaio do Chile! Vou ao banheiro rapidinho e já volto.

Preciso ganhar tempo e tentar melhorar. Tenho certeza de que eu saio caminhando pela sala com muita calma, feito um astronauta, dando passos grandes, lentos e bem vagarosos. É a minha tentativa frustrada de caminhar em linha reta e demonstrar sobriedade. Chego ao banheiro e lavo o rosto várias vezes, mas não adianta nada. Decido sair do banheiro antes que ele ache que eu estou cagando; isso só iria piorar as coisas.

Volto para a sala e decido agir mais e falar menos. Não estou em condições de conversar. Fico parada no batente da porta, com uma perna esticada e a outra levemente flexionada, olhando para ele com olhos levemente espremidos e mordendo os lábios.

— Francis, está tudo bem de verdade?

— Xiii, você está falando demais. Vem aqui, vem, rolhudo!

O Miguel se levanta, vem andando em minha direção e, quando está bem próximo, eu olho no fundo da sala, em direção à cozinha, e vejo o menino da mochila azul dando tchauzinho para mim, sentado na minha pia. No impulso, grito:

— Sai daqui! O que você está fazendo aqui?

— O quê? — responde Miguel, muito assustado. — Mas foi você que me chamou e pediu pra vir até você! Não sabia que você iria ficar tão ofendida!

De repente, o menino está sentado no meu sofá, bem atrás do Miguel. Ele está sorrindo para mim, com o pacote de coxinhas na mão. Eu levo um susto tão grande que chego a perder a força nas pernas.

— O que você está fazendo aqui? — grito. — Como você entrou? O que você quer de mim?

— Francis, é melhor eu ir embora! Me desculpa! — responde o Miguel, sem entender nada, achando que eu estou falando com ele.

Quando eu olho novamente, o menino não está mais lá.

— Não! Você fica! Nem estou falando com você!

— Francis, você não mora sozinha? Tem mais alguém aqui?

— Talvez! — É a coisa mais sincera que eu posso responder neste momento. Na verdade, eu não tenho a menor ideia de como eu poderia explicar para o Miguel que estou vendo uma criança de mochila azul sentada na minha sala. Não tenho a menor ideia de como ele iria reagir, e tudo isso está acontecendo no nosso primeiro encontro. Ele me olha com uma cara de interrogação, então eu digo a primeira coisa que vem à minha cabeça. — Eu sou mediúnica e às vezes recebo umas entidades na minha casa.

Hoje era para a noite ser só nossa e tem um espírito precisando de ajuda, querendo ficar aqui com a gente.

– Então eu acho que é melhor eu ir mesmo! – fala o Miguel, totalmente apreensivo.

– Não! Fica! Não me deixa sozinha! – Eu o agarro.

– Se você, que já está habituada a essa situação e já tem uma certa intimidade com os espíritos, está com medo, imagina eu que não tenho afinidade nenhuma? Qual é o nome desse espírito?

– Nome do espírito? Nome? – respondo, repetindo a pergunta para ganhar um tempo. O que eu vou falar? Não conheço nenhum nome de espírito, então falo o primeiro que me vem à cabeça. – O nome dele é Amadeu, é um encosto infantil... tipo a Maísa do mundo espiritual. Ele só vem brincar, mas já vai embora! Vamos cantar uma musiquinha para ele, que ele já vai: "Polegares, polegares, onde estão? Aqui estão! Eles se saúdam, eles se saúdam e se vão". Vem cantar comigo, Miguel? Ele já está indo embora.

O Miguel se junta a mim e começamos a cantar. Por um lado, eu estou desesperada de vergonha, mas, por outro, eu quero rir dessa situação. Eu achei que fosse transar e estou cantando polegares com um homem na sala de casa; isso é bizarro, trágico e cômico ao mesmo tempo. Não vejo a hora de contar para as meninas.

– Está tudo bem agora? – pergunta Miguel.

– Sim, agora está tudo ótimo, tirando o fato de que eu não estou muito bem. – É acabar a frase e começo a vomitar no pé do Miguel. Acho que a música, aliada à bebida e ao Rivotril, não me fez muito bem. Depois disso, eu não me lembro de mais nada. Vomitei e apaguei.

Acordo no outro dia morrendo de dor de cabeça e percebo que há um bilhetinho na cabeceira da cama.

Que noite incrível! Não sabia que você curtia uma coisinha a três. Podemos combinar algo, eu, você e o Amadeu, rs. Eu limpei você, coloquei você na cama e, quando você estava estável e dormindo, eu fui embora. Ou seja, já fomos para a cama no nosso primeiro encontro! P.S.: Não tirei a sua roupa. Quando cheguei na sua casa, notei que você já estava com a blusinha do avesso. Beijo, Miguel.

5 Help me!

Eu estou arrasada! Na primeira tentativa que eu tenho de impressionar o boy, olha só o que eu faço! Se bem que, de alguma forma, eu acabei impressionando.

Mais uma vez eu estou atrasada, mas, agora, além de atrasada, estou de ressaca. E o pior de tudo: meu carro continua sem bateria. Eu não sou normal, não é possível. Na escola, consigo administrar uma sala com trinta capirotos em modo possessão, mas em casa não consigo manter a ordem e a decência, misturo Rivotril com bebida, esqueço de trocar a bateria do carro e, no meu primeiro encontro, uso uma roupa do avesso.

De novo não estou em condições de enfrentar a sovaqueira matinal; mesmo contra a minha vontade, disposição e condições financeiras, chamo o carro pelo aplicativo mais uma vez. Durante o caminho, eu só penso em tudo que aconteceu. Não posso simplesmente ignorar, então tomei coragem e decidi marcar um psiquiatra. Estou realmente preocupada com a minha sanidade mental. Por que estou tendo visões com o menino de mochila azul? Quem é ele? Por que eu? Será que é só uma alucinação? De repente, um medicamento resolve. Pensei em marcar um psicólogo, mas eles não receitam medicamentos muito fortes e marquei um psiquiatra de uma vez. A vantagem de ser professora é que contatos e referências de psiquiatras nunca faltam. Além dos dilemas psíquicos e a ressaca, estou com uma cara péssima, e a Josi percebe na hora.

– Nossa, guria, que cara é essa? Não que nos outros dias você esteja esbanjando beleza, mas é que hoje exagerou na derrota.
– Nem te falo. O Miguel foi lá em casa ontem – respondo.
– Para tudo! – Entra a Mari, gritando, na sala dos professores.
– Nossa, mas, com essa cara que você está, não sei se comemoro ou se denuncio ele para a Lei Maria da Penha. O que aconteceu, guria?
– Ah, Josi, nem tem conto. Eu estava estressada, tomei umas gotinhas de Rivotril e, na empolgação, chamei ele pra sair. Aí ele se ofereceu para ir lá em casa, e eu prontamente aceitei e fui me arrumar. Tomei banho, lavei a Dirce e fiquei esperando. Ele chegou com um vinho, eu misturei com o Rivotril e comecei a passar mal. Quando me dei conta, estava vomitando no pé dele, aí não me lembro de mais nada.
– O quê? Você vomitou no pé do boy? Lavou a Dirce à toa?! – fala a Josi, quase enfartando de tanto rir.
– Nem me fale. Dormi com a Dirce cheirosinha, mas chateada.
– Passa o contato do Miguel pra mim. Quando eu tiver uma virose, vou mandar uma mensagem pra ele: "Miguel, estou vomitando sem parar, quer vir aqui em casa? Sei que você curte esse fetiche!" – diz a Josi.
– Josi, sai fora!
– Conta mais, conta mais! – A Mari está empolgada, querendo saber os detalhes.
– Não aconteceu mais nada, foi só isso mesmo.
– Nossa, gente, vocês queriam que acontecesse mais o quê? Que a Francis cagasse no pé dele também? – diz a Josi.
Ficamos rindo igual a idiotas. Eu decido esconder delas as visões que estou tendo do menino de mochila azul, pelo menos por enquanto. Elas não iriam entender; afinal, nem eu estou entendendo o que está acontecendo comigo. Tenho esperança de que o médico me ajude a compreender melhor essa situação. Para

minha surpresa, quando dou uma olhada no celular, vejo uma mensagem do Miguel: "Bom dia! Está melhor?".

Eu nem respondo, estou morrendo de vergonha. Além da mensagem dele, vejo que, no Tinder, há várias combinações, mas não estou no clima para flertar. Preciso colocar a cabeça no lugar. Deixo o celular de lado e entro na sala de aula. Justo hoje, que eu estou um bagaço, o Pedro Henrique parece uma excursão do satanás; está endiabrado e não para quieto um minuto. Na minha opinião, o MEC tinha que disponibilizar para nós, professores, alguns dardos tranquilizantes. Só assim para conseguirmos acalmar determinados alunos.

Saindo da escola, encontro a Dagmar e verifico se ela vai para o mesmo caminho que eu novamente. Quando vou entrar no carro, escuto a Josi gritando:

– Dag, vê se para o carro se ela precisar vomitar, senão vai vomitar no seu pé!

Peço para Dagmar me deixar na clínica, mas não entro em detalhes sobre o que está acontecendo. Chego e fico aguardando a minha vez. Aproveito para corrigir umas provas enquanto espero – professora tem que usar todo o tempo livre para adiantar as atividades pedagógicas.

– Francislena! – grita a secretária.

É horrível quando você se chama "Francislena" e a atendente não tem sensibilidade para te chamar de "Francis". Depois que seu nome é anunciado em alto e bom som, as pessoas ficam te olhando com uma cara de surpresa e dó. Levanto o mais rápido que posso em direção à sala do doutor, mas, quando faço isso, todas as provas caem no chão. Me abaixo para pegá-las e derrubo outras atividades que estavam dentro da minha bolsa; em seguida, a garrafinha de água despenca e rola para longe. Se eu estava com vergonha do meu nome, agora estou com vergonha de mim por inteiro. As pessoas devem estar pensando: "nossa, essa aí está precisando de psiquiatra mesmo, não está nem se entendendo consigo mesma". Sem dignidade nenhuma, entro na sala do médico.

– Bom dia, Francislena, tudo bem? Eu sou o doutor Crypton. O que te traz aqui? O que você faz? – pergunta o doutor, com uma expressão bem séria. Nem para dar um sorrisinho para descontrair...

Um doutor que se chama Crypton? Esse nome não passa credibilidade. Se, por algum motivo, eu tiver que operar, vou querer mudar de médico. Estou com medo de confiar a minha saúde mental a ele, ainda mais que Crypton lembra o nome de um dos piores capirotos que eu tive. Acaba sendo inevitável: a gente sempre faz associações quando encontra pessoas com o mesmo nome de alunos que marcaram, ou melhor, traumatizaram a nossa vida.

Na verdade, ele por inteiro é bem estranho. Sabe aquelas pessoas carecas que possuem alguns filetes de cabelo? Aí elas penteiam os longos fios para o lado oposto, criando listras capilares que percorrem todo aquele terreno calvo... Será que acreditam que esses fios mudam alguma coisa?

– Bom dia! Então, doutor, eu sou professora! – respondo e sento-me nessas cadeiras normais de consultório. Achei que seria um divã, igual aos filmes, mas pobre conta os seus "pobremas" em cadeira de "prástico" mesmo.

– Hummm, professora!? E o que mais te traz aqui?

Não entendo essa colocação do doutor: parece que eu ser professora já é um motivo mais do que suficiente para eu estar me consultando com um psiquiatra.

– Eu vim aqui porque acho que estou tendo umas visões. Eu acho!

– Acha ou tem certeza? – indaga ele.

— Eu acho que eu tenho certeza. Aliás, eu sei que estou vendo, mas não sei se ele existe ou não!

— Ele quem?

— É um menino de mochila azul. Tenho visto constantemente um menino de mochila azul.

— Hummm... — Após dizer isso, o doutor fica me olhando com as mãos cruzadas, e um silêncio constrangedor toma conta do consultório. Ele fica me olhando, me analisando. Eu dou uma risadinha sem graça e desvio o olhar do dele, igual os alunos fazem com a gente quando estão com medo de serem interrogados a respeito da disciplina. Quase pergunto se o nome dele é Crypton em homenagem ao filme do Superman, só para quebrar aquele silêncio.

— Você é professora faz tempo? Me conte um pouco da sua história... e quando e como foi a primeira vez que você viu o menino da mochila azul.

Conto para ele da minha vida matrimonial conturbada, da minha relação bem complexa com o Mateus e de como eu me sinto culpada por estar distante do meu filho. Foco meu depoimento e o relato da minha vida no momento atual: nas crises existenciais que tenho vivido sendo uma mulher recém-separada, nos possíveis crushes, nos detalhes de todas as vezes que o menino da mochila azul apareceu para mim e, inclusive, no meu encontro com o Miguel e a aparição do menino lá também.

— Por que você decidiu chamar o Miguel para sair, e os outros pretendentes não? – pergunta ele.

Tanta coisa em voga e ele vai justamente focar no Miguel? Achei que eu tivesse vindo aqui para falar do menino da mochila, mas às vezes esse é um caminho diferente que ele está adotando para resolver o problema. Eu, como uma pessoa obediente, respondo:

— Porque o Miguel parece ser um cara legal. De alguma forma, me sinto bem conversando com ele. Além disso, eu estava um pouco carente, sob efeito de Rivotril e com a Dirce atacada, aí foi a combinação fatal.

— Francis, quem é Dirce? Você não me falou nenhuma vez dela.

— É minha gata! — falo a primeira coisa que me vem à cabeça. Eu jamais teria coragem de contar a verdade para o doutor.

— Interessante, Francislena. Me fale mais da sua relação com a Dirce. Você a adquiriu após a separação?

— Então, doutor, é... Na verdade, eu sempre tive a Dirce, ela sempre me acompanhou. Ela é uma fofa, peludinha, mas não é muito peluda, não. Sempre que eu posso, eu depilo ela. Quer dizer, eu toso e dou banho nela, porque higiene é importante. A minha Dirce é bem quietinha, tranquila, mas às vezes fica agitada. Quando ela fica muito agitada, eu fico muito estressada e, pra me acalmar, tento arrumar alguma coisa pra fazer. Na maioria das vezes ela é minha única companhia.

— Mas a Dirce fica atacada com frequência?

Eu não aguento e começo a rir depois dessa pergunta. O doutor fica me olhando sem entender absolutamente nada.

— Ultimamente ela tem ficado bem impaciente e agitada.

— Francislena, eu percebi que você é uma pessoa bastante determinada e independente, não gosta nem de assumir que precisa do afeto de outros. Você consegue ser carinhosa com a Dirce ou é muito exigente e dura com ela?

Meu Deus, esse assunto está tomando um foco totalmente diferente. Em vez de falarmos do menino de mochila azul, estamos falando da Dirce.

— Eu sou bem carinhosa com ela. Sempre que posso, faço carinho, mas às vezes eu tenho que ser mais dura, porque ser duro também é gostoso. Aliás, é importante. — Eu não aguento e começo a rir novamente. Estou parecendo uma doida de verdade. Com certeza ele vai me internar.

– Por que você sempre ri quando fala da Dirce?
– Doutor, porque ela é engraçada, mas eu gostaria de falar mais do menino de mochila azul. Você acha que eu estou ficando louca? Existe cura para isso?
– Veja bem, Francislena, você está passando por uma fase bem delicada da sua vida. Essa "aparição" pode ser fruto da sua imaginação, pode ser até mesmo um reflexo, uma projeção do seu eu, como se fosse um holograma que sua imaginação criou diante dessa carga de estresse e confusão que você está vivendo. Vou pedir alguns exames para você, para que eu possa ter um diagnóstico mais claro. Isso não é normal, mas também não é totalmente incomum. Acho que, num primeiro momento, vamos trabalhar com medicações naturais e holísticas. Depois de um acompanhamento mais completo, eu verifico a necessidade de uma medicação mais forte. Acho interessante já realizarmos uma ressonância para verificar como está a sua atividade cerebral. Vou pedir para prepararem a sala e pegar as guias para a liberação do exame. Só um minuto.
– Ok, doutor. Depois que o senhor falou que pode ser algo gerado pela minha cabeça, eu fico mais tranquila. Acho que, se eu diminuir meu nível de estresse, essa coisa tende a parar. Depois do porre de Rivotril que eu tive ontem, já estou me sentindo mais relaxada.

O doutor se ausenta da sala para pegar algumas guias e documentos com a secretária. Para minha infelicidade, quem eu vejo passando pelo corredor da clínica?! O menino de mochila azul! Não é possível, mas eu faço a pêssega, finjo comigo mesma que não é nada. Se realmente for coisa da minha cabeça, eu vou conseguir controlar. Então, fecho os olhos e fico repetindo bem baixinho várias vezes:

– Francislena, isso não é nada! É apenas uma projeção da sua cabeça. Não é nada, está tudo bem!

De repente, escuto uma voz ao meu ouvido:

— Francislena!

Abro os olhos e não tem absolutamente ninguém na sala. Eu estou sozinha. Fico toda arrepiada e, por precaução, decido ficar com os olhos abertos.

O doutor volta e me leva para outra sala, onde será realizado o exame de ressonância. Coloco a roupinha horrível, totalmente aberta atrás e que parece que foi feita com TNT, recebo as orientações de como funcionará o exame e já quero desistir antes mesmo de começar. Que exame horrível! Parece que você está preso dentro de uma máquina de lavar roupa, tudo girando à sua volta e você não pode se mexer, tem que ficar totalmente parada.

De repente, no meio do exame, eu me esforçando para não me mexer, começo a sentir uma cócega terrível na perna. Parece que tem alguém passando uma pena nela. A cócega se mistura com uma coceira e começa a se espalhar pelo meu corpo; eu fazendo todo o esforço do mundo para não olhar nem coçar. A sensação vai descendo, descendo e, para o meu desespero, começo a sentir coceira nos pés. Eu não aguento e estrago o exame. Tenho que me abaixar para poder coçar; afinal, eu não estou suportando a tortura.

Quando olho para a porta da sala, vejo o menino de mochila azul passando, balançando uma pena na mão, rindo e olhando para mim. Eu esqueço que estou no meio de um procedimento médico, me levanto e começo a correr atrás do menino. Eu tenho que pegá-lo!

— Para, menino, volta aqui! Guri! Volta aqui! – grito loucamente.

As enfermeiras começam a correr atrás de mim, e eu desesperada atrás do menino. Ele corre muito rápido, está difícil alcançá-lo, mas eu me aproximo cada vez mais; desta vez ele não vai me escapar. Esbarro nas pessoas, pulo obstáculos, até empurro uma maca com um gordão em cima. Eu estou quase alcançando quando ele passa por uma porta de vidro automática – que estava aberta para ele e fecha justamente na hora em que eu vou passar. Quando atravesso a porta de vidro, perco o bendito menino de vista. Avisto outra porta de vidro entreaberta e passo por ela, na esperança de encontrar o menino do outro lado. Porém, ao cruzá-la, dou de cara com a rua. Olho atentamente para todos os lados e não encontro o menino seguindo em nenhuma direção. Estou ofegante e com o coração disparado de tanto correr. De repente, escuto uma voz vinda de trás, me chamando:

– Francis?

Eu me virei mais do que depressa achando que seria o menino, mas é o Miguel!

– O que você está fazendo na rua com essa roupa de paciente de hospital? – pergunta ele.

É nesse momento que me dou conta de que estou na rua com uma roupa feita de TNT, toda aberta atrás. Eu cruzei toda a recepção do hospital assim, e, o pior, o Miguel viu a minha bunda; afinal, ele me abordou pelas costas. Gente, a minha bunda no escuro, após receber uma série de cem agachamentos, já não é uma coisa maravilhosa... Imagina ela sendo revelada sob a luz do sol, de dia, sem nenhum filtro, e ainda coberta por uma cortininha de TNT?! Não me resta mais nenhuma dignidade! Jesus já pode me levar; minha missão de ser humilhada na Terra está totalmente cumprida!

– Miguel? Eu...

Não sabendo o que falar, eu finjo um desmaio e caio na direção dele, torcendo para que ele me segure e, graças a Deus, ele consegue. Que cena romântica, eu repousada em seus braços! Tirando o fato de que o vento está batendo e levantando a roupa, expondo minha bunda cada vez mais, me fazendo puxar disfarçadamente a cortininha de TNT para baixo e tampar meu bumbum humilhado. As enfermeiras chegam correndo e pedem para que o Miguel me leve para dentro. Durante o caminho, perguntam:

– O que aconteceu? Ela saiu correndo atrás de alguém e gritando, depois não vimos mais nada.

– Eu também não sei, eu vim trazer o meu sobrinho no hospital e vi a Francis passando apressadamente pela recepção, como se estivesse correndo atrás de alguém. Então eu fui atrás dela e, quando ela virou para mim, desmaiou – explica.

Eu abro os olhos só um pouquinho e tento enxergar pela frestinha da pálpebra; as enfermeiras, juntamente com o Miguel, me colocam numa cadeira de rodas e me levam para uma sala. Na hora em que eu percebo que não há mais risco e que o Miguel está fora da sala, eu finjo recobrar a consciência e pergunto para as enfermeiras:

– O que aconteceu? Onde eu estou?

– Você teve um ataque de pânico, eu acho, saiu correndo e gritando. Mas agora está tudo bem, o doutor já vai vir falar com você.

Meu Deus do céu, eu realmente estou ficando louca. Será que isso é que é ser louca? Ver coisas que só você vê, correr pelada em corredores avulsos? Será que eu estou perdendo a sanidade? No fundo, eu sempre soube que tenho que mudar de área, pois ser professora é muito estressante e uma hora a minha cabeça iria fundir, o meu cérebro iria começar a falhar; era só questão de tempo para eu começar a morder EVA, cheirar cola quente e fumar TNT.

Permaneço deitada no leito um bom tempo, esperando o doutor chegar, e, de repente, quem me aparece na sala? O Miguel acompanhado do Cauê, o sobrinho dele, e a Josi. Meu Deus, o que a Josi está fazendo aqui? E o capiroto? Vai contar para todo mundo na escola que eu estava de pijama no hospital, com a bunda de fora.

— Francis? Francis? Você está bem? — Miguel pergunta.

Eu finjo que continuo desmaiada e fico com os olhos fechados e a boca entreaberta, tipo moribunda. Para melhorar tudo, eis que o doutor volta e pergunta:

— Vocês são parentes dela?

— Não, doutor, meu nome é Miguel! E essa é a Josi. Nós somos amigos da Francislena.

— Amiga, amiga, sou eu, doutor, ele é mais conhecido da Francis. É assim que a falecida gostava que chamassem ela... Estou brincando... O que ela tem, doutor? — pergunta a Josi.

— Antes de fechar o diagnóstico, eu preciso fazer umas perguntas. Miguel, ela me contou que você esteve com ela ontem. Você também viu o menino de mochila azul?

— A entidade?! Não, Deus me livre, eu não vi, não! Foi somente ela que falou com o espírito.

— Que entidade, gente? Desde quando a Francis vê essas coisas? Ela não assistiu nem o filme do Chico Xavier com medo de sair do cinema abduzida. Até onde eu sei, ela só vomitou no seu pé. — A Josi não está entendendo nada!

— Mas o que aconteceu exatamente, Miguel? Como foi essa aparição? — questiona o doutor.

— Ela me chamou para ir lá, nós começamos a tomar um vinho, ela pediu para ir ao banheiro e, quando voltou, eu fui ao encontro dela. Ela começou a falar com a entidade, para que saísse da casa dela. Disse que o nome da entidade era Amadeu, um espírito infantil, e ele foi embora na hora em que cantamos a música dos polegares. Depois, ela vomitou e desmaiou.

Meu Deus, eu não acredito que isso está acontecendo. O médico, o Miguel e a Josi estão conversando sobre o meu encontro... Vai dar merda! Eu queria desmaiar de verdade para não ter que ouvir essa conversa.

— Miguel, sabe se a Francis faz uso de drogas? – questiona o doutor.

A Josi já interrompe a conversa:

— Que droga o quê? Ela só usa Rivotril! Ah, e mexe com muita cola quente. Talvez isso possa fazer mal também, sei lá. Ela misturou Rivotril com vinho, aí ficou loucona, foi só isso que aconteceu. E Amadeu não é um espírito, é o nome de um homem que ela conheceu no Tinder.

— No Tinder? – pergunta o Miguel.

— No meu Tinder. Ela estava mexendo na minha conta! – fala a Josi, para consertar a situação.

— Pra finalizar a conversa e eu não tomar mais o tempo de vocês, eu preciso saber: vocês já viram a Dirce? – pergunta o doutor.

— Não, ela nunca me mostrou! Quem é Dirce? – pergunta o Miguel, e a Josi começa a rir.

— É uma suposta gata que ela teria, mas eu achei um pouco suspeita a existência dessa gata e a relação delas. Ela falou em depilar a Dirce. Ninguém depila um gato! Por isso estou perguntando pra você. Isso pode indicar algum indício de loucura ou confusão mental – diz o Doutor.

A Josi começa a rir muito alto e, em meio à gargalhada, me defende:

— Ela contou da Dirce para o senhor, doutor? Eu já vi a Dirce dela, doutor. Na hora certa, o Miguel vai ver também. Ela só mostra pra quem é muito íntimo e especial. A Dirce é uma belezinha, pequenininha e bem-cuidada.

Eu sei que a realidade é trágica, mas, por incrível que pareça, eu quero rir de tudo que está acontecendo. Eu deitada, seminua, e o Miguel, o doutor e a Josi falando da minha Dirce.

— Eu vou pedir mais alguns exames, mas pode ser que ela esteja começando a ficar esquizofrênica!

— O que é *esquilofrênica*, tio? — pergunta o Cauê, sobrinho do Miguel.

— Esquizofrênica, Cauê! — corrige a Josi.

— O que é esquizofrênica, tio? — pergunta de novo o menino.

— É tipo louca, mas não vai contar pra ninguém na escola, hein?! — responde o Miguel.

— Ela está ficando louca por causa de vocês! A gente fala: "olha, uma hora vocês vão me deixar louca", mas vocês respeitam? Não! Continuam bagunçando! E olha agora: a professora Francis está ficando doida por causa de vocês, então trate de se comportar! E outra coisa, Cauê, não é para contar para ninguém o que você ouviu aqui. Se você contar, eu vou falar para a sua professora reprovar você e cortar sua merenda — diz a Josi olhando nos olhos do capiroto.

Ai, meu Deus! Certeza que o Cauê vai espalhar para todo mundo na escola que eu estou *esquilofrênica*. Vai falar o nome da doença errado ainda. Não me resta mais nada a não ser exonerar. Me leva, Jesus! Me exonera da vida, Pai! Já não basta o Miguel ter me visto seminua, agora vai achar que eu sou louca de verdade e que não quis mostrar a Dirce para ele porque não acho ele especial. Tudo está dando errado.

O Miguel vai embora junto com o Cauê e a Josi fica me esperando no hospital, para poder me acompanhar até em casa. O médico vem falar comigo, me solicita alguns exames e me receita uns medicamentos para ansiedade. Encontro a Josi na recepção e não sei se rio ou choro. Nos abraçamos bem forte. Ela com certeza sabe que eu não estou bem.

— O que está acontecendo, amiga? Eu não entendi nada! Me conta tudo! Tadinho, o Miguel queria ter visto a Dirce — diz ela, rindo deitada no meu ombro.

— Ah, Josi, é uma longa história. Vamos embora que, no caminho, eu te conto tudo.

Vamos para casa e, no caminho, eu conto mesmo. Rimos horrores, principalmente quando digo que Miguel viu a minha bunda vazada na roupa de paciente. Mas, sem dúvidas, há uma aura de preocupação no ar, porque a situação não é nada comum. A Josi, apesar de ser bem louca, é muito parceira, se demonstra muito compreensiva comigo e promete guardar segredo. Nesse momento, eu não quero que outras pessoas saibam dessa possível esquizofrenia.

6 A revelação

O médico me deu um atestado de cinco dias. Pelo menos eu tirei algo de bom dessa situação toda. Seria excelente para eu colocar a cabeça no lugar e ficar tranquila. Vou tirar o dia para não fazer absolutamente nada, ficar deitada o tempo inteiro em coma induzido. Na vida de uma professora, esses momentos de curtir a preguiça são extremamente raros, então eu vou aproveitar cada segundo desse atestado fazendo absolutamente nada. Ontem cheguei em casa ainda bem abalada e, depois de um bom banho, eu apaguei. Acho que foi consequência da grande quantidade de medicamentos que eu recebi.

Olho o celular e, para minha surpresa, há uma mensagem do Miguel: "Olá, está tudo bem? Quando puder, me mande notícias". Decido ignorá-lo. Eu não tenho coragem ou dignidade para responder. Teria que inventar mais uma mentira e não estou nem um pouco a fim de fazer isso. Neste momento eu tenho que cuidar de mim, mas, como sou extremamente curiosa, dou uma olhadinha no Tinder e vejo que há várias mensagens lá. Fico feliz porque os contatinhos estão aparecendo: sinal de que eu ainda tenho um certo potencial no mercado – na situação em que estou, qualquer sinal de autoestima é maravilhoso.

Já são mais de dez horas da manhã e eu ainda não levantei da cama. Sabe quando foi a última vez que eu fiz isso? Na verdade, não me recordo... Desde sempre, assumi muitas responsabilidades e uma correria absurda; em outra vida, quero voltar como um bicho-preguiça para poder descansar tudo que faltou nesta aqui.

Cá estou eu, curtindo as ondulações e os buracos do meu colchão que já tem nove anos de uso, quando resolvo, após alguns dias sem escrever, colocar em dia minhas anotações e desabafos no diário. Escrevo tudo que vem acontecendo, toda a vergonha que eu passei com o Miguel e as aparições do menino de mochila azul – principalmente o fato ocorrido na padaria e como a coxinha chamou a atenção do Mateus. Isso é surpreendente para mim. Claro que registro a possibilidade de estar esquizofrênica. Na maioria das vezes, eu não chego a nenhuma conclusão enquanto escrevo, mas botar as ideias no papel é extremamente terapêutico.

Antes que eu termine as minhas anotações, o celular dispara, e celular tocando não é coisa boa. Tenho certeza de que é alguma diretora ligando – as pessoas só ligam umas para as outras quando dá alguma merda. Notícia boa a gente passa pelo Whats.

Noto que é um telefone desconhecido. A possibilidade de ser cobrança é enorme, mas, mesmo assim, arrisco e atendo.

– Alô?

– Alô. É a senhora Francislena Lopes? – Usou um pronome de tratamento formal e chamou pelo nome completo, significa que vai dar merda.

– Sim, sou eu mesma. Pois não?!

– Senhora, bom dia... Desculpa incomodar. Aqui é da escola do Mateus. Tentamos contato com o pai, mas não tivemos êxito. Enfim, ele se envolveu em um acidente, já foi encaminhado para o hospital e está recebendo os cuidados necessários, mas precisamos de um responsável lá para poder acompanhá-lo. Você poderia fazer isso?

– Mas o que aconteceu? É alguma coisa grave? – Eu estou desesperada, minha pressão baixa na hora.

– Não, não! Aparentemente não foi nada grave. Ele estava brincando com uma dessas bombinhas na quadra da escola e uma delas estourou próximo à mão dele, mas sem nenhum dano grave. Prefiro que a senhora vá até o hospital e, depois que reunirmos todos os detalhes sobre o ocorrido, entramos em contato para esclarecer os fatos.

– Claro. Eu estou indo pra lá agora mesmo!

A funcionária da escola me passa o endereço do hospital e eu vou voando para lá – na verdade, tenho que ir de aplicativo, porque o meu carro permanece sem bateria. Toda professora deveria ter uma assistente pessoal para poder ajudá-la a organizar as coisas básicas da vida. Não seria nenhum luxo; essa é uma necessidade real para podermos ter uma qualidade de vida melhor.

No caminho, meus sentimentos oscilam entre raiva, medo, preocupação e raiva de novo. O Mateus estava aprontando na escola! Ele sabe que eu não tolero esse tipo de coisa! Chegando lá, ele irá ouvir poucas e boas! Eu não pago caro para ele não dar valor àquela escola. Ainda bem que avisaram a mim e não ao pai, porque com certeza aquele imprestável iria passar a mão na cabeça dele. Mas o que está me tirando a paz é o Mateus ter aprontado justamente no dia em que eu estou de atestado, precisando descansar e tentando me desestressar. Parece até que foi de caso pensado.

Chego ao Hospital do Trabalhador, vou até a recepção e eles me pedem que eu aguarde numa sala de espera. Sinto muito frio na barriga, uma sensação horrível. Acho que, depois de tudo que havia passado no hospital no dia anterior, não esperava pisar novamente num lugar desses tão cedo. Eu estou extremamente ansiosa: pernas inquietas, suando frio, mãos geladas... Será que se eu pedir uma dose de Gardenal eles me dão? Qualquer coisa, eu falo que eu sou professora e eles já vão saber que estou acostumada a esse tipo de medicamento. Sinto a minha cabeça girando e acho que vou desmaiar – desta vez, de verdade. Abaixo a cabeça e fico com ela encostada nos joelhos. Nesse momento, começo a refletir: o que eu estou fazendo da minha vida? Estou distante do meu filho, sendo uma profissional medíocre, fazendo apenas o necessário... Parece que eu perdi o amor pelas crianças. Sem falar na minha vida afetiva, que está uma bagunça. Tenho a sensação de que estou complicando tudo. Chego a questionar a decisão de ter me separado. Eu não estava feliz no matrimônio, mas pelo menos as outras coisas pareciam estar mais encaixadas. Acho que, no fundo, eu estou me sentindo sozinha e sem um porto seguro. Eu sempre suportei tudo: professora carrega o estigma de ser uma pessoa forte e invencível e, durante anos, eu tentei. Carreguei a minha família nas costas afetiva e financeiramente, mas agora quem está totalmente perdida sou eu. Para ajudar, estou tendo visões. Será que o meu destino é ficar sozinha e esquizofrênica? Em meio a toda essa aflição e medo, começo a chorar e peço a Deus que não me abandone. Eu nem sei rezar direito, mas estou dando voz às dores do meu coração e sendo sincera comigo mesma.

De repente, toda aquela aflição e medo dá lugar a uma sensação de calma e paz. Sinto o meu corpo sendo acalentado por um abraço. É exatamente disso que eu preciso neste momento. Quando abro os olhos, há uma ex-aluninha minha me abraçando! Geralmente eu desvio dos alunos na rua, mas desta vez eu resolvo aceitar o carinho, abraço-a com toda a força e desabo a chorar no seu ombro. Eu nunca chorei na frente de um aluno, mas estou desarmada e precisando disso.

– Oi, profe! A senhora está triste, né?! Não fique assim! – diz ela.

– Sim, a profe não está muito bem hoje, mas tudo vai ficar bem... Muito obrigada pelo abraço! Vai ganhar dois pontos por isso! Hehehe... O que você está fazendo aqui, Júlia?

– Eu vim com a minha mãe. O meu irmãozinho nasceu, mas está internado. O nome dele é Jaime Bond. Daí eu estava sentada ali, e um menino de mochila azul sentou do meu lado e falou que era pra eu vir aqui abraçar você.

— Júlia, você jura que isso é verdade? — pergunto, assustada.

— Juro, profe! Meu pai colocou esse nome no meu irmão por causa daquele filme famoso.

— Não estou falando do nome do seu irmão, nisso eu acredito! Eu já dei aula para um Vini Diesel e um Vandaime... O que eu quero saber é se você viu mesmo um menino de mochila azul. Como ele era?

— Eu vi, sim! Ele era moreninho, estava com o uniforme da escola, mas eu nunca vi ele lá. Ah! E ele me pediu para te entregar isso.

É um desenho igualzinho ao que eu recebi no banheiro, no dia em que eu fui à sala da professora Rute: os bonecos de palito, professora baixinha ao lado de um menino de mochila azul maior que ela, um sol e uma árvore abstrata. Junto ao desenho, está escrito: "Tenha calma com o Mateus. Me encontre no banheiro. P.S.: É verdade esse *bilete*!".

Me despeço da Júlia com um abraço bem caloroso e dou um beliscão nela. Ela grita e fica me olhando com cara de quem não está entendendo nada. Peço desculpas, mas, devido ao meu histórico, preciso saber se ela é real.

Vou rapidamente ao banheiro. No caminho, não é que sou acometida por uma terrível dor de barriga? Acho que é o nervosismo gerado por toda aquela situação, mas, se a Júlia também viu o menino, significa que eu não estou louca.

Chego ao banheiro e não vejo ninguém. Procuro em todas as portas e nada! Será que o menino está no masculino? Decido esperar mais um pouco, mas, enquanto espero, o nervosismo é tanto que a dor de barriga aumenta e eu não aguento: me rendo. Na hora de me limpar, percebo que não tem papel (alguma coisa sempre dar errado é um karma de toda professora!). Estou me preparando para levantar e chegar à porta ao lado, quando uma mão de criança passa pelo vão da porta e me entrega um rolo de papel higiênico. Depois, ela se senta no batente da porta à minha frente e eu posso ver a base da mochila azul. Fico atônita e não sei se pego o papel ou não, até que eu ouço:

— Oi, Francis, é um prazer te conhecer. Faz tempo que eu espero ter esse encontro, mas confesso que essa não era a forma que eu idealizei... Pegue o papel! Vou te ajudar a sair dessa situação embaraçosa!

— Ah, tá! Situação embaraçosa em que você me colocou, né?! Agora quer me ajudar a sair da merda, literalmente?!

— Isso é você quem está falando! Eu não te ajudei com o Mateus? Você mostrou a foto da coxinha pra ele e ele até te respondeu... Falando nisso, e aí, trouxe uma coxinha pra ele?!

— Coxinha?! Só se for coxinha em forma de chinelo! O Mateus não está merecendo coxinha. Ele vai ouvir poucas e boas!

Espera aí! Eu estou conversando com uma criança que eu nem sei se é real?!

Fico em silêncio e começo a refletir. Francis, você está conversando com uma criança enquanto faz o número dois?! E se isso for fruto da minha imaginação?! Por que ele foi aparecer num banheiro? Será que a loira do banheiro ficou louca porque viu um menino de mochila azul?

— Eu resolvi te encontrar no banheiro porque, se fosse lá fora, as pessoas iriam achar que você está falando sozinha. Esse momento tem um simbolismo interessante e tem muito a ver com a minha finalidade na sua vida — responde ele, mas eu nem verbalizei nada. Como ele sabe o que eu estava pensando?

— Você leu a minha mente? Por que você tem infernizado a minha vida, criatura? Você é real ou eu estou ficando louca? Me explica o que está acontecendo! Acho que você nem existe, é coisa da minha cabeça. Eu vou fazer silêncio e tenho certeza de que daqui a pouco você vai sumir.

— Vai me deixar falando sozinho?! Que mal-educada! Eu não acho que eu trouxe o inferno à sua vida. Talvez ela já estivesse bem ruim e eu só tenha trazido um pouco de nitidez para você enxergar melhor as desgraças. E sobre ser real, isso é mais relativo ainda... Por exemplo, seu salário é real, mas você nem consegue ver a cor dele! Hahaha...

— O que você quer de mim? Você é um ex-aluno que eu reprovei e ressurgiu para acabar com a minha vida? Já não basta os que estão vivos tentando fazer isso?

— Eu não sei explicar o que eu sou exatamente. Alguns chamariam de "anjo", outros de "ser de luz", mas isso não vem ao caso. O que importa é por que eu estou aqui.

— E por que você está aqui, menino? Me diz! — Eu estou aflita por respostas.

— Digamos que eu sou um auxílio além do Rivotril que você já toma. Não sei o porquê, mas algumas pessoas que estão passando por momentos difíceis são escolhidas para receber a nossa ajuda. Considere que eu sou uma bússola, um GPS, como se fosse um anjinho enviado. Não vou fazer nada a não ser tentar colocar você de volta no caminho de si mesma. E, para isso, eu tenho meus métodos nada ortodoxos — afinal, eu tenho que me divertir também! Agora, o meu nome fica a seu critério. Não me chamando de Dirce, está ótimo!

— Mas *pera* aí! Todo mundo pode te ver? A Júlia viu você de verdade? Como eu faço para encontrar você? Não é possível! Me dê uma prova de que eu não estou ficando louca!

— "Francislena" não é a história de dois povoados que disputavam o rio, é a história de uma mulher cuja mãe era devota de São Francisco e o pai, fã do John Lennon. Que teve que desenvolver muita responsabilidade desde cedo. Na ânsia de acertar com o Mateus, acabou exigindo excessivamente dele e isso afastou os dois. Francis é a mulher que não gosta da diretora Carmem e até votou contra ela, e ainda fez a cabeça da Mari para disputar a vaga. Viu só, Francis?! Isso a Globo não mostra! Mesmo que eu não seja real, me encare como uma oportunidade de se reencontrar. E vamos ser sinceros?! Você não tem muito a perder. Acredite em mim, eu estou aqui para te ajudar! Se você já estivesse recebendo a minha ajuda, não teria cometido tantas cagadas na vida. Por exemplo, não teria curtido uns caras que eu vi você curtir no Tinder... Pelo amor de Deus, você merece mais!

— Mas como eu faço para encontrar você?

— Não precisa me encontrar, deixa que eu te encontro. Aliás, você não precisa ir atrás de mim igual fez na padaria, no ônibus ou no hospital. Eu estarei sempre por perto. Agora se limpe antes que você se asse, que o Mateus está sendo liberado. Não seja rude demais com ele. Nesse momento, ele precisa da Francis amiga e parceira. Se você chegar cobrando, xingando e expondo, vai continuar tudo a mesma coisa, porque é exatamente isso que ele espera de você! Às vezes, a melhor correção não está na força ou na braveza, mas no amor, demonstrando carinho e afeto. Todas as técnicas de xingamento e palmadas você já tentou, e a relação de vocês não está boa. Que tal dar uma chance para a Francis medicada, brincalhona e amorosa?! Agora limpa o xibiu, enxuga a Dirce e vem aqui me dar um abraço? E outra coisa: melhore a sua alimentação, porque o cheiro está "só Jesus na causa".

— Não! Espera! Já estou indo!

Assim que acabo de me limpar, abro a porta e saio na intenção de abraçá-lo, mas não tem mais ninguém lá a não ser uma mulher estática, me olhando sem entender nada.

— Faz tempo que a senhora está aqui? – pergunto toda sem graça.

— Cheguei na hora em que você estava falando algo sobre pedir uma prova de que não estava louca, depois ficou quieta como se estivesse ouvindo alguém falar com você. Eu achei que estivesse ao telefone, mas agora saiu de braços abertos como se fosse abraçar alguém e sem nada na mão... Eu acho que a senhora não precisa de provas, a senhora está meio louca! Com licença!

Começo a rir sozinha. Por mais esquisito que pareça, pela primeira vez eu estou em paz com a presença do menino de mochila azul. Mesmo sendo uma miragem da minha cabeça, o que ele disse é verdade: minha vida está um caos, toda bagunçada, e, sobretudo, ele tem razão sobre a minha forma de educar o Mateus. As vezes em que tentei arrumar as coisas do meu jeito não deram certo; o que eu tenho a perder se der ouvidos a ele? Quase nada! Por isso, decido ter uma postura diferente com meu filho. Em vez de ser rude com ele, eu vou tentar ser mais amorosa e brincalhona. A vontade de bater é grande, mas vou deixar a Francis gente boa falar mais alto. Volto correndo para a sala de espera para ver se já liberaram meu filho.

Após aguardar alguns minutos, vejo o Mateus andando em minha direção. Ele está com a mão enfaixada, blusa de moletom com capuz bem larga, calça caindo e cabelo bagunçado: um típico adolescente urbano. Na hora em que ele me reconhece, faz uma cara de desânimo. Com certeza, na cabeça dele, seria muito melhor se o pai viesse buscá-lo. No intuito de surpreendê-lo, não pergunto o que aconteceu, nem tiro satisfação. A primeira coisa que faço é abraçá-lo.

— Oi, filho! Eu estava com saudades! Só assim mesmo para você ver sua mãe...

— Oi, mãe — ele responde, um pouco surpreso. Pego em sua mão e caminhamos na direção de um dos bancos da recepção.

— Você está bem, filho?

— Sim, não foi nada de mais. Só um machucado leve!

– Entendi. Isso não foi legal, mas eu estava pensando enquanto aguardava: você está a fim de comer a coxinha daquela padaria, que você gosta? Lá conversamos melhor sobre tudo que aconteceu na escola.

Ele não responde nada, fica me olhando totalmente desconfiado. Acho que ele está pensando: "ela vai me dar coxinha com pimenta, ou laxante. Algum tipo de punição vai acontecer".

– Você não vai perguntar o que aconteceu agora? Não vai brigar comigo?

– Eu já sei o que aconteceu, Mateus, e você sabe que eu não me orgulho do que você fez, nem te apoio, mas eu sei que você já é bem grandinho para assumir as responsabilidades dos seus atos. Acho que a escola vai te dar uma suspensão e depois você vai ter que correr atrás do prejuízo para recuperar a matéria. O que eu vou exigir é que você passe de ano, mas não vou fazer isso hoje, pelo menos não agora. Vamos por partes. Eu estou com fome e, nesse momento, preciso comer. Vamos comer a coxinha?

– Demorou! Eu estou com fome também!

Abraço-o de novo e percebo nele uma constante desconfiança relacionada ao meu convite. Engancho o meu braço no dele e vamos caminhando em direção ao estacionamento. Chegando lá, fico procurando meu carro.

– Mateus, não estou achando o carro! Roubaram o carro da sua mãe! Você acredita nisso?!

– Sério, mãe?! Você estacionou exatamente em qual vaga?

Na hora em que me dou conta, lembro que estou sem carro.

– Esquece, Mateus, a mãe veio com aplicativo.

– Nossa, mãe, algumas coisas nunca mudam! – Depois que ele fala isso, cai na gargalhada.

– Nunca mesmo! Não é a primeira vez que você arruma encrenca na escola, ainda mais manuseando bombinhas com seus amigos. Eu não estou pagando escola pra você se tornar um

bandido, e é justamente isso que você está se tornado. Um vândalo! Vân-da-lo, você e seus amigos – falo pausadamente e fico olhando para a cara dele, bem séria, mas logo começo a rir. – Achou que eu tinha surtado?! Você tinha que ver a sua cara, filho. Eu tenho que fazer isso mais vezes!
– Eu achei que a senhora tivesse voltado ao normal. Estava estranhando a senhora toda boazinha pro meu lado. Na verdade, eu não estou acreditando muito nessa Francis boazinha. Eu acho que, em vez de me levar para comer coxinha, você vai me levar pra um cativeiro e me deixar de castigo até o meu pai pagar o resgate.
– Não seria uma má ideia, mas, se eu for depender do seu pai pra pagar algum tipo de resgate, você irá morrer no cativeiro. E eu não quero falar do seu pai. Vou pedir um carro e vamos pra padaria.
– Olha ela! Sabe usar o Uber! Até ontem, ela falava "abaixar" o aplicativo.
– Meu filho, para quem navega no Tinder, o Uber é fichinha.
– Mãe, você está no Tinder?
– A sua mãe já mandou até nudes. Ah, e já recebi uns perus aqui, quer ver?!
O Mateus não está entendendo nada, fica me olhando paralisado. Ele quer rir, mas não sabe se pode. Eu nunca tratei o meu filho assim, de maneira leve, era sempre um tratamento revestido de responsabilidade e autoridade. Hoje, pela primeira vez, eu estou tratando-o como um amigo e derrubando a minha máscara de mãe superforte, imaculada e perfeita. Quero que ele conheça meu lado brincalhão e extrovertido, de quem chama a vagina de Dirce junto com as amigas.
Peço o Uber e vamos para a padaria. Ao longo do caminho, conversamos sobre várias coisas. Percebo que no começo ele estava meio reticente, mas com o tempo entendeu que não é uma

interpretação, eu realmente estou de peito aberto para conversar com ele, sem julgamentos; só quero ter uma tarde legal com o meu filho, ainda mais porque eu estou de atestado e não posso me estressar. Chegamos à padaria e pedimos duas coxinhas.

— A senhora vai pedir e sair correndo *ingual* aquele dia, ou vai comer aqui? — me pergunta o atendente.

— O senhor se lembra de mim? Me desculpa pelo ocorrido.

— Claro que eu *se lembro*, não é todo dia que alguém pede coxinha e foge.

— Você fez isso, mãe? — pergunta o Mateus.

— Fiz, filho, eu comprei e vi o ônibus passando, mas aquele dia eu não podia perder, então saí correndo. Vamos mudar de assunto... O senhor se lembra de mim, mas não se lembra de nenhuma dica de português que eu lhe dei, não é?!

— Claro que eu lembro as dicas que a senhora deu para *eu*! A senhora vai comer aqui ou vai levar?

— Vou comer aqui. Vou me sentar e depois você leva para mim, por gentileza.

Enquanto comemos a coxinha, decido puxar assunto com o Mateus para ver se ele se abre, mas não quero falar sobre nenhuma formalidade.

— E aí, filho, está ficando com alguém?
— Como assim?!
— Torando o pau, ficando, pegando? Nada?

Ele arregala os olhos e até engasga com a coxinha:
— Mãe!

— "Torando o pau." Eu forcei um pouco a barra, né, filho?! Quis parecer descolada demais e acabei passando do ponto, desculpa. Mas agora, sério, está dando umas madeiradas? — falo isso e começo a rir muito. Nem eu estou me reconhecendo.

– Você está bem, mãe? É a senhora mesmo que está dentro desse corpo?! Acho que a senhora foi abduzida e fizeram alguma experiência com a senhora!

– Claro que eu estou bem, só estou repaginada e querendo me divertir um pouco. Eu dou aula para crianças e convivo com adolescentes. Você acha que eu não sei as gírias do momento, não?! Quer ver? Sei várias outras: "empurrar a mandioca", "afinar o cacete", "dividir o pastel de pelo", "afogar o ganso", "molhar o biscoito", "agasalhar o menino", "lustrar o tronco"...

Mateus não aguenta, começa a rir e me pergunta:

– Lustrar o tronco... Onde você ouviu isso, mãe?

– Essa, na verdade, eu inventei agora. Gostou? A mãe exagerou nessa... Desculpa, filho. Quando eu vi, o tronco já estava na boca da mamãe, hahaha... Ok, parei!

– Você está muito louca hoje, mas eu gostei, achei engraçado "lustrar o tronco".

– Mas e aí, menino? Me fale das novidades, e as novinhas?

– Ah, mãe, normal!

– Normal? Essa é sua resposta?! Quer dizer que está saindo com uma menina normal? Ai, que alívio! Achei que estivesse saindo com uma menina de três pernas e cabeça de cavalo... Estou brincando, não precisa falar dessas coisas comigo. Eu também não falava sobre isso com seus avós, por isso que acabei casando com seu pai. Talvez, se tivesse seguido algumas orientações deles, eu tivesse escolhido melhor. Então, não esqueça de pedir a nossa opinião para não passar o que eu passei! Brincadeira, vamos falar de outras coisas...

Conversamos sobre várias coisas e todos os assuntos fluem de maneira leve. Pela primeira vez, desde que o Mateus se tornou um jovem, estamos conversando como dois amigos. Ficamos cerca de uma hora e meia na padaria jogando conversa fora, sem nenhum tipo de cobrança. Pode parecer pouco, mas para mim significa muito. Quando estamos nos preparando para ir embora, o Mateus me surpreende mais ainda:

— Mãe, posso dormir lá na casa da senhora hoje?

— Não! Hoje vai um boy lá pra lustrar o tronco! Tô brincando, filho, claro que pode! — Seguro a mão dele e aperto. Nesse momento, meus olhos se enchem de lágrimas. Eu realmente estou muito feliz por ele querer ir dormir lá em casa. Sem dúvida, é a melhor companhia que eu poderia ter, ainda mais depois de uma semana terrível. — Mas então temos que levar alguma coisa para comer. Não tem muitas opções lá. Você sugere alguma coisa?

— Tem *mortandela* lá? — pergunta ele.

— "Mortandela", Mateus? "Mortandela" não existe em lugar nenhum no mundo. Se existir, está na terra do "imbigo", do "adevogado", do "estrupador". Eu estou sendo legal com você, mas pra erro de português você sabe que sua mãe não consegue fazer vista grossa! Mor-ta-de-la, repete com a mãe: mor-ta-de-la. Como punição, você vai me ajudar a cortar uns EVAs que estão lá em casa e corrigir umas atividades, se bem que, com o seu nível de português, é bem capaz de você dar certo em questões erradas...

— Mor-ta-de-la, está bom assim?! Não vou mais errar, e eu já sabia que teria que cortar EVA, de qualquer jeito. Sempre tem alguma coisa pra cortar e colar na casa da senhora.

Compramos pães e mortadela. No caminho de volta para casa, encho o saco dele e peço que ele soletre algumas palavras bem difíceis para mim. A cada acerto ele ganha dois reais – pode parecer pouco, mas para uma professora já faz bastante diferença. Com dois reais, eu compro duas folhas de EVA na promoção.

Em vez de designar o Mateus para cortar EVAs e fazer atividades para mim, chamo-o para ver um filme, mas ele prefere tomar banho e ir para o quarto. Apesar de ele não ter aceitado, eu estou feliz da vida com a sua presença em casa. Combinamos que, no outro dia, eu o levaria para a escola. Como já mencionei, não sou muito de rezar, mas fecho os olhos e, sem falar nada, no silêncio do meu coração, agradeço a Deus pelo dia atípico que tive hoje. Mesmo tendo começado todo torto, terminou muito bem. Deitada, pronta para dormir, eu só consigo pensar no menino de mochila azul. É muito louco isso que eu estou vivendo. Tenho a impressão de estar num sonho, vivendo algo surreal, e que a qualquer momento eu vou acordar. Não sabia se o menino era real ou não, ou se ele estava presente comigo o tempo todo, mas sem dúvida essa tarde maravilhosa que tive com o Mateus foi consequência do conselho que ele me deu. Por isso, apesar de não o ver nem sentir a sua presença, começo a agradecer-lhe no meu íntimo.

— Menino da mochila azul, eu não sei se você está aqui ou não, se você é um holograma, um anjo, uma entidade, mas, de qualquer forma, eu queria agradecer pela ajuda. Você está aqui? — Silencio, na expectativa de perceber alguma coisa. — Se você estiver aqui, me dá um sinal! — Escuto um rangido vindo do chão. Então, eu saio pelo quarto só de pijama, falando baixinho: — Menino, você está aqui? Oiê, meninooo, apareça! Quando eu falar "já", você aparece... Um, dois, três e já! Vem aqui!

Quando percebo, estou fazendo sons como se estivesse chamando um gato, andando agachada pelo quarto e olhando embaixo dos cômodos como se estivesse procurando um animal. Sem que eu note, o Mateus entra no quarto e me vê agachada, sussurrando algumas palavras aleatórias.

— Mãe, o que você está fazendo?
— Mateus?! Oi, o quê? Fazendo, eu? Então... Estou procurando o meu Rivotril, é isso! Gosto de tomar duas gotinhas antes de dormir.
— Por que você está procurando deitada no chão, sendo que o Rivotril está em cima do criado-mudo?

— Está vendo, filho?! Se eu já tivesse tomado as gotinhas, estaria procurando no lugar certo. A falta do Rivotril prejudica a lucidez da mamãe, mas é só eu tomar que já vou recuperar a sanidade.
— Tá bom, só vim dar boa-noite! Durma bem!
— Tchau, Mateus, até amanhã. Durma bem, filho... Não esquece de escovar os dentes e lavar o peru antes de dormir!
— Mãe!
— Só estava sendo descolada de novo, desculpa. Dorme com Deus. Se quiser dormir com a mamãe, fique à vontade — digo isso enquanto pingo duas gotas de Rivotril num copo.

Espero um pouco até que o Mateus durma e vou até o quarto dele. Ele está dormindo de bruços, com a coberta caída. Pego a coberta e o cubro da mesma forma que eu fazia quando ele era pequenininho. Chego a me emocionar; é tão bom ter o meu filho em casa. Desta vez, sinto que, além de perto, ele está próximo, estamos juntos, conectados como há muito tempo não fazemos. Estou tão empolgada que resolvo escrever uma poesia para ele.

Ah, você me tira do sério.
Às vezes, me deixa louca.
Já tive que gritar até ficar rouca.
Mas todo nervosismo
Se desfaz ao menor sorriso.
Seu sorriso me cura,
Seu abraço me descansa.
E no meio de toda essa agitação
Minha alma encontra a bonança.
Antes de você existir,
Tinha medo de como seria.
Mas quando você nasceu
O amor superou todo o medo

E hoje o meu maior receio
É não ser sua todo dia.
Te amo!

Dobro-a e guardo junto com todas as outras anotações. Quem sabe um dia eu tenha coragem de mostrar isso para alguém, ou para o próprio Mateus?!

7 Coach celestial

Ah, que silêncio maravilhoso! Parece que estou no espaço, imersa no nada... Que sensação maravilhosa! De repente, escuto um barulho bem distante, como se fosse uma sirene ou algo assim. Que barulho insuportável e ininterrupto... Meu Deus, alguém para com esse som! Espera aí... Estou reconhecendo... É o meu despertador! Mas eu tenho a impressão de que acabei de deitar, não é possível que tenha passado tão rápido assim. Queria que as horas na sala de aula passassem como as noites de sono.

Com muito sacrifício, me estico e pego o celular para desligar o despertador. Vejo que o horário está programado para as cinco e quarenta e cinco da manhã. Geralmente, eu acordo às seis e meia. Será que eu programei errado? Mas eu não faria isso comigo mesma... Eu posso me prejudicar no amor, no trabalho e na vida financeira, mas com o meu sono eu tento manter a dignidade. Reprogramo o celular e volto a dormir o mais rápido que posso.

Pouco tempo depois, quando estou na fase de transição, começando a perder a consciência, o celular volta a disparar. Não é possível! Desta vez, com mais raiva do que preguiça, pego o celular e, para minha surpresa, ele está programado para despertar às cinco e quarenta e cinco. "Mas eu acabei de reprogramar", penso. Reprogramo mais uma vez e volto a dormir. Antes que eu pegue

totalmente no sono, começo a ouvir uma voz distante e perto, ao mesmo tempo:
— Oiê! Acorda! Vamos, levanta!
— Já vou! Sai daqui! – respondo resmungando.
— Acorda! Levanta, flor do dia!
Abro meus olhos e o menino da mochila azul está deitado na minha cama, olhando para mim e sorrindo, com uma carocha enorme e um cartaz de EVA na mão, escrito "bom dia!". Dou um pulo e quase caio da cama por causa do susto.
— O que é isso? Você está louco? Quer me matar do coração?
— Bom dia, Francis! Hora de acordar...
— Que acordar, o quê? Que horas são?
— São cinco e cinquenta da manhã! – diz ele, mostrando o relógio.
— Mas hoje eu estou de atestado.
— Eu sei, mas você esqueceu que tem que levar o Mateus para a escola?
— Puxa vida! É mesmo! Eu combinei de levar o Mateus justo no dia em que poderia acordar mais tarde... Amor de mãe é uma coisa inexplicável! Mas, de qualquer forma, eu poderia acordar mais tarde. O Mateus entra às sete e meia e a escola dele não é no Acre. Não precisava me acordar agora!
— Você teria razão se não tivesse que ligar para o seguro e solicitar a troca da bateria, e nós sabemos que você não tem condições de ficar ostentando e andando de Uber. Minha missão é te ajudar na sua vida financeira também. Aliás, eu considero esse o maior desafio.
— Menino! Você não consegue fazer uma intervenção espiritual e dar uma carga na bateria?
— Não, senhora! Começa assim, um favor aqui, outro ali, daqui a pouco já vai vir com uma tesoura e uma folha de EVA para eu cortar! Já fiz muito em te acordar. Falando nisso, você

tem que rever a sua alimentação... Está soltando muitos gases durante a noite.

– Olha, você me respeita, hein?! Eu sou uma princesinha, eu não faço essas coisas.

– Ah, tá! Eu já presenciei várias vezes em que você soltou puns "peidagógicos" na sala de aula. As crianças não percebem, mas a mim você não engana! Pior, você coloca a culpa nos capirotos! Agora levanta e vai resolver esse problema da bateria.

Quando eu vou me defender, ele não está mais lá. Sumiu, evaporou. Então me arrumo rapidamente e vou ligar para a seguradora, para que eles venham trocar a bateria para mim ou dar uma carga, sei lá – se tem uma coisa que eu não entendo nada, é de carro. Só boto gasolina e ando; às vezes, esqueço até de botar a gasolina.

– Alô? Bom dia! Acho que acabou a bateria do meu carro, precisava de um auxílio!

– Olá, bom dia! Qual o seu nome completo, por gentileza? Qual a placa e o modelo do veículo?

– Então, a placa, de cabeça, eu não sei. Alguém sabe a placa do carro de cabeça? Mas acho que, se puxar pelo meu nome, é mais fácil. O carro é um Celta e meu nome é Francislena. Acho que não existem muitas Francislenas no cadastro de vocês.

– Infelizmente eu vou precisar de mais alguns dados da senhora, por gentileza.

Confirmo vários dados para a atendente. Que demora, meu Deus! Pela primeira vez achei que seria beneficiada por ter um nome peculiar, que só isso bastaria para agilizar o atendimento, mas eu caí do cavalo. Faço todo o protocolo como as pessoas com nomes comuns fazem, chego até a cochilar ao telefone e, depois de esperar um longo período, a atendente retoma o atendimento.

— Então, senhora Francislena, estou verificando aqui e o seu seguro está vencido faz três meses. Infelizmente não conseguiremos atender a senhora.
— Vencido? Mas e agora? Eu consigo renovar por telefone para tentar agilizar e vocês resolverem para mim esse problema da bateria? Meu ex-marido quem cuidava dessas coisas, e ele não me avisou de nada!
— Infelizmente não há nada que possamos fazer pela senhora. A renovação pode ser feita, porém existe uma carência, que é o tempo para que o processo possa ser finalizado.

Eu insisto e persisto com a atendente; afinal, eu sou professora e a gente não desiste nunca. Porém, de nada adianta e eles não vêm trocar a bateria do meu carro. Eu não conheço ninguém no meu prédio que possa me socorrer. Queria estar mais próxima do Miguel para poder pedir a ajuda dele, mas, depois de vomitar nele e ele ver minha bunda em via pública, decidi me afastar. Eu não tenho cara nem coragem para procurá-lo, então só me resta pedir ajuda ao seu Dirceu.

— Alô? Seu Dirceu? Bom dia! Tudo bem? Acabou a bateria do meu carro, o senhor poderia me ajudar?
— Olá, dona Francis, tudo bem? Eu acabei de chegar, são seis horas da manhã. A senhora acordou cedo, hein?! Então, na verdade, teria que fazer uma chupeta. Eu até tenho o cabo aqui, mas aí tem que puxar a energia de outro carro. A senhora teria que falar com algum morador para poder ajudar.
— Ok, seu Dirceu, eu vou tentar achar um carro para fazermos essa chupeta.

É muito estranho ver o seu Dirceu falando em "chupeta". Eu queria ter intimidade com ele para falar "chupeta a Josi faz para o senhor", mas eu não tenho. Começo a minha saga de lembrar de algum morador que tenha carro e possa me ajudar. Não sei muito bem para quem pedir, mas me lembro do meu vizinho da frente.

Não temos muita intimidade, mas ele parece ser bem gente boa, então *let's go*, partiu incomodar o vizinho às seis da manhã.

Toc, toc... Ahhhh, que constrangedor bater à porta de alguém tão cedo. Bati bem de leve para não assustar. Aguardo um pouco, mas ninguém vem atender. Aumento a intensidade da batida, mas estou morrendo de vergonha; ninguém merece ter um vizinho importunando às seis da manhã. Por um lado, ele não vir me atender é um alívio, já que pelo menos eu não estou tirando a paz de ninguém. Está demorando muito. Acho que ele não acordou mesmo, melhor eu desistir. Quando eu me virei de volta, escuto a porta se abrindo.

– Oi, bom dia, você estava batendo? Pois não?

Eu me viro e o meu vizinho está sem camiseta, só com shorts azul-clarinho. Meu pai! Ele tem um corpo maravilhoso, curvas definidas, pelos na quantidade certa – não é muito liso nem muito peludo; ou seja, no calor não esquenta muito, mas no inverno te acalenta. E ele não tem o rosto muito delicado, faz mais o papel do homem bruto, que iria me jogar na parede e me bater com cola quente. Eu, olhando para aquele homem, apenas travo.

– Foi você quem bateu-me na porta? – ele me questiona de novo, enquanto eu permaneço estática.

– Bateu-me à porta – corrijo. Não acredito que estou corrigindo os erros de português do meu vizinho gostoso. Tenho que parar com isso. Não vou colocar tudo a perder só por causa de uma preposição. Aliás, ele pode errar uma frase inteira que eu o perdoo e ainda dou aula particular.

– Bateram na sua também? – ele me pergunta, confuso.

– Não, o correto é *bateu-me à porta*, desculpa! Enfim... Releve o que eu acabei de dizer, escapou! Não era a minha intenção te corrigir, eu estava precisando de uma ajuda para poder fazer uma chupeta!

– Oi?! – ele pergunta, mais confuso ainda.

— Não! Pera, o seu Dirceu disse que faz a chupeta! Mas preciso que alguém ajude! — Meu Deus! Eu não estou conseguindo organizar minhas ideias. A minha vontade é falar para ele: "Coloca uma camiseta, pelo amor de Deus! Esconda esse peitoral da sociedade. Nós não estamos preparados, você não está me ajudando".

— Olha, eu não estou entendendo nada. Pode me explicar?

— Me desculpe! Eu não estou conseguindo me expressar direito. O meu carro está sem bateria e o seu Dirceu disse que tem que fazer uma chupeta, mas eu faço no lugar dele... Estou brincando! Me desculpa de novo! Enfim, preciso de um carro para a chupeta dar certo!

— Você quer fazer uma chupeta no meu carro? Não acha melhor fazer aqui dentro? — pergunta ele, me olhando, escorando o braço na porta e torcendo a cabeça para a esquerda; acho que ele tem algum tique nervoso.

— Acho! Quer dizer, não! — Eu estou totalmente sem graça. Ele começa a rir sem parar.

— Estou brincando com você... Eu entendi, sim, claro que eu te ajudo! Já desço e finalizamos essa chupeta. Só um instante, já chego lá!

Eu viro para ir para a minha casa, e o menino de mochila azul está na porta, fazendo mímica de sexo oral. Eu tomo um susto e grito:

— Ah! Você quer me matar do coração?

— O quê? — pergunta o meu vizinho, sem entender nada.

— Eu quero dizer que assim, sem camisa, você vai me matar do coração. Não estava esperando ver essa cena às seis da manhã, não estou habituada a isso. Coloque uma camiseta antes de descer, por favor — respondo isso e corro para dentro. Entro o mais rápido posso, totalmente avermelhada. Fecho a porta e chamo a atenção do menino como se ele fosse meu aluno de verdade.

— Escuta aqui, garoto! Você não pode ficar aparecendo do nada e me dando sustos! Faça o favor de chegar com mais educação! Peça licença, bata à porta, toque a campainha, seja mais educado. Sua mãe não te deu educação, não?! — Enquanto eu dou um sermão nele, ele desaparece.

Nesse exato momento, ouço o som da campainha. Abro a porta e continuo chamando a atenção, pois tenho certeza de que é o menino fazendo arte.

— É desse jeito que eu quero, com educação!

Mas não era o menino, era o meu vizinho! Ele fica me olhando em silêncio, com uma expressão que diz: "essa minha vizinha é uma louca, inventou essa conversa da chupeta só para dar em cima de mim". Eu fico olhando em silêncio para ele, não sei o que dizer. Depois de um momento constrangedor, ele toma a palavra:

— Vamos para a chupeta, então? — Novamente o tique nervoso de inclinar a cabeça para a esquerda se manifesta.

— Vamos, sim! — respondo, toda sem graça.

Interfono para que o seu Dirceu possa nos encontrar lá no estacionamento. Durante o percurso no elevador, eu fico olhando para baixo. Estou muito constrangida por aquela situação. Eu definitivamente não estou me acertando com os homens; acho que deveria começar a jogar, porque, no amor, a minha vida está em decadência crescente. Quando eu achava que havia chegado ao fundo do poço, percebia que, na verdade, tinha mais um pouco ainda para descer: primeiro me queimei com o Miguel, agora me queimei com o vizinho que acabei de conhecer.

Nos encontramos lá embaixo e a chupeta é realizada. Pouco tempo depois, meu carro já está funcionando. Agradeço ao vizinho e ao seu Dirceu e finjo que vou sair com o carro para não ter que subir com eles no elevador. Ainda são seis da manhã e eu já passei vergonha para um dia inteiro.

Chego em casa e vou acordar o Mateus. Enquanto eu caminho até o quarto dele, a campainha toca de novo. Vou rapidamente ao banheiro, ajeito o cabelo com as mãos e puxo um pouco a blusinha para valorizar os meus peitos. Corro e abro a porta, tentando ser sensual, esperando que seja o meu vizinho gostosão, mas é o menino da mochila azul.

— O que é isso? Querendo seduzir uma criança? — pergunta ele, dando risada.

— Você quer me deixar louca?! Se essa é a intenção, você está conseguindo! Estou com pressa! Por que tocou a campainha em vez de aparecer de uma vez?

— Ué, foi você quem pediu para eu tocar a campainha, para eu ser mais educado. Parecia até que estava falando com um dos seus alunos! Mas eu vim te ajudar mais uma vez. Você ainda tem um tempinho. Por que, em vez de acordar o Mateus, você não prepara um café da manhã para ele? Tendo em vista que você está se prontificando a fazer coisas que nunca fez para reconquistá-lo...

Tenho que concordar, a ideia é excelente. Decido fazer um café da manhã para meu filho; afinal, eu realmente nunca fiz isso, sempre saía apressada e atrasada para ir à escola. Essa seria uma boa forma de surpreendê-lo positivamente. Apesar de insuportável, o menino da mochila azul tinha excelentes ideias. Decido fazer panquecas, porque o Mateus adora. Começo a pegar os ingredientes e o menino me interrompe:

— Panquecas?! Você nem sabe cozinhar direito e vai fazer panquecas?! Por que não faz um pão com presunto e queijo? A intenção é agradar o Mateus, não magoar.

— Me deixa, menino! Vou fazer panquecas porque o Mateus gosta muito, e eu sei que ele vai gostar — respondo enquanto pego os ingredientes e utensílios necessários.

— Eu acho que não vai dar certo! — afirma o menino de novo, sentado na pia da cozinha.

– Por que você não me ajuda em vez de ficar me atrapalhando? E saia de cima da pia!

Começo a colocar as coisas no liquidificador para fazer a massa. Vou bater e esqueço de fechar a tampa. Voa massa para todo lado. Além disso, percebo que não tenho tudo para finalizar uma nova receita. Que raiva! Eu já estou atrasada... Quando olho para a mesa, o menino está com um sorriso sarcástico me olhando, segurando um pacote de pão de forma, juntamente com o presunto e o queijo.

– Ok, você venceu! Vou fazer sanduíche mesmo, você está satisfeito?! – respondo enquanto tomo as coisas da mão dele.

Preparei os pães e um copo de refrigerante. Já estou muito atrasada para providenciar um suco.

– Tcharam. Acorda, filhão! Olha só o que a mãe fez para você! – digo isso apoiando a bandeja na cama, ao lado do Mateus. Ele olha, muito surpreso.

– Nossa, mãe! Fez café para mim?

– Gostou, filhão?

– Gostei, sim!

– Então, come rápido e vai escovar os dentes que a gente já está atrasado!

Enquanto o Mateus se arruma, dou uma navegada no celular e tem zilhares de mensagens aguardando uma resposta. Dentre elas, uma do Miguel e várias das meninas preocupadas comigo. Respondo para as meninas que está tudo bem e marco de encontrá-las à noite, no meu apartamento, para eu contar tudo que está acontecendo comigo. Sobre o Miguel, ele perguntou se estava tudo bem comigo, mas ainda não tenho coragem de responder; foi muita humilhação, preciso de mais um tempo até a vergonha passar e eu ter conseguido colocar a cabeça no lugar.

Depois de deixar o Mateus na escola, tiro o dia para não fazer absolutamente nada, coisa que há muito tempo não faço. Fico de pijama, vendo coisas aleatórias na TV – séries, filmes etc. – e me enchendo das comidas mais calóricas possíveis. O menino da mochila me faz companhia a tarde inteira. Lá pelas tantas, me levanto e vou comprar umas comidinhas para receber minhas amigas, porque se tem uma coisa que motiva um encontro fraterno é a comida – ainda mais se suas amigas forem professoras e chegarem na sua casa direto do trabalho. Decido que vou contar tudo para elas: as visões com o menino de mochila azul e as bizarrices que me aconteceram nesses últimos dias.

No final da noite, sem que ninguém avise, a campainha toca. Provavelmente são as meninas, porque o seu Dirceu as deixa subirem sem interfonar, mas, a essa altura do campeonato, pode ser meu vizinho gostoso ou o menino da mochila azul. Se forem as meninas, tudo ótimo; o menino da mochila azul teoricamente não precisa entrar pela porta; mas, se for o vizinho gostoso, é lucro. Pensando na possibilidade de ser ele, me sento no sofá com as pernas cruzadas, inclino um pouco o corpo e apoio meu braço no encosto do sofá – uma posição que esbanja sensualidade. Dou uma ajeitada no cabelo e grito:

– Pode entrar!

– Nossa, guria, por que você está parecendo a estátua de Pietá? – pergunta a Josi enquanto entra em casa com as outras.

– Acho que ela confundiu a agenda e estava esperando outra pessoa – diz a Marli.

Eu me ajeito rapidamente no sofá e respondo, toda sem graça:

– Eu sempre fico assim no sofá. Se vocês não têm classe, a culpa não é minha.

Antes que eu comece a colocar as fofocas em dia, nos sentamos à mesa e falamos sobre assuntos aleatórios. Quando percebemos, já estamos falando da escola – nossa inevitável reunião pedagógica à paisana. Bastou que uma fizesse uma simples observação sobre a diretora, um aluno ou a mãe de algum deles, e aqui estamos no assunto de novo. Pegamos como referência apenas "mãe de aluno" e conseguimos dissertar por horas: falamos das vestimentas, falta de compromisso, cabelo, maquiagem; enfim, o assunto brotou com facilidade.

Dentre os assuntos pedagógicos abordados, as meninas também comentam comigo que a diretora Carmem está suspeitando que o atestado é frescura minha. Eu não estou surpresa com essa suspeita dela – nossa antipatia é explícita –, e depois que destilo o meu veneno na diretora, chamo as meninas para a sala para que eu possa tratar do assunto principal da noite.

– Então, gurias, não sei como dizer isso, mas espero contar com a compreensão de vocês. É o seguinte: eu estou grávida! – digo isso para fazer uma piadinha e disfarçar o nervosismo.

– Meu Deus, guria! Isso significa que você transou? Isso é incrível! – comemora a Josi, com cara de deboche.

– Pare, guria! A gente sabe que, para engravidar, tem que transar e isso faz um bom tempo que você não faz! – A Mari gargalha junto com a Josi.

– Fala logo, Francis! Amanhã a gente tem aula. Temos que ir embora cedo! – fala a Marli na intenção de cortar a folia das outras.

– Que aula o quê, louca?! Amanhã é sábado. A Marli já está tão doida que nem sabe que dia é hoje – comenta a Mari.

– Nossa, eu nem me liguei, só nos resta beber! – decide a Marli, levantando um copo.

– Você nem bebe nada, Marli. Hoje é sexta, querida, dia de estar com a Dirce lisinha ou, no máximo, parecendo um tapetinho de banheiro. E eu aposto que a sua está igual a um tapete persa! – Josi provoca a Marli.

– Fiquem quietas, senão eu não consigo falar! Prestem atenção, vou contar para vocês.

Conto tudo sobre o menino e cito todas as vezes que ele apareceu para mim, desde o início. Comento que eu corri atrás dele na rua, que fui procurá-lo na padaria, no ônibus, e sobre a vergonha que passei no hospital com o Miguel. Cito a menininha que me abraçou dizendo que foi o menino que mandou, conto que ela me deu o desenho igualzinho ao que ele havia me dado e o mostro para elas; digo até que, nesse mesmo dia, o menino da mochila azul conversou comigo enquanto eu estava cagando. Falo tudo muito séria e até me emociono em alguns momentos, principalmente quando explico que ele está realmente me ajudando a me aproximar do Mateus. Falo por quase uma hora. Quando finalmente paro, elas ficam me olhando e o silêncio toma conta da minha casa.

— Eu falo que não é pra parar com o Rivotril! — diz a Josi, rachando o bico de dar risada.

— Ah, Francis, que loucura, menina! Eu não sei se dou risada ou se choro... Muito louca essa sua história. Mas o médico falou o quê? — pergunta a Mari.

— Ele disse que pode ser um princípio de esquizofrenia, mas eu, de verdade, não acredito que seja isso. No começo, eu achava que era. Quando eu percebi que somente eu estava vendo esse bendito menino, fiquei desesperada, ainda mais porque eu tenho medo dessas coisas. Mas, depois que ele explicou a sua missão, que disse ter vindo para me ajudar, eu fiquei bem mais tranquila. Ele é divertido, fica tirando sarro de mim. Iria se dar bem com a gente.

— Tá amarrado! A-mar-ra-do! Deus me livre, guria! Eu não gosto de encontrar os alunos fora da escola; imagina um aluno aparecendo toda hora pra mim, sem eu ter o controle?! Às vezes, quando eu vejo um capirotinho na rua, até desvio! Imagina você perder o controle disso e um capiroto aparecer quando bem

entender? Se isso acontecer comigo, faço um descarrego na hora!
— Josi bate três vezes na madeira.
— Vocês acreditam em mim? — pergunto para as gurias.
— Eu acredito, até porque eu não quero me desentender com esses *espírotos*! — diz a Josi.
— "Espíroto"? — pergunta a Marli.
— Sim, o espírito de capiroto — responde a Josi.
— Francis, eu estou passada. Ele está aqui agora? — pergunta a Marli.

Abaixo a cabeça, imitando o Chico Xavier, e fico quieta. De repente, eu digo:
— Sim! Ele está do seu lado, Marli.
Ela dá um pulo e muda de sofá. Eu não aguento e começo a rir. É a primeira vez que vejo a Marli perder o equilíbrio.
— Estou brincando, gente. Ele não fica comigo o tempo todo, só aparece quando quer e vai embora!
— Então ele faz igual a diretora Carmem faz com a gente: aparece, fala alguma coisa e depois some. Você deveria chamá-lo de "Carmem"! Até porque ela é um encosto mesmo! — diz a Josi.
— "Carmem" eu não quero! — reclama o menino, saindo pela porta da cozinha.
— Agora ele está aqui e disse que "Carmem" ele não quer! Eu estou falando sério, ele apareceu de verdade.
— Agora você está falando sério? — diz a Marli, pálida.
— Sim, agora eu estou, e ele está sentado do seu lado, Marli!
— As duas estão zoando com a nossa cara, Marli. Essas duas se juntaram para dar risada da nossa cara — diz a Mari para a irmã.
— Agora eu estou falando sério, gente, ele está aqui.
— Ah, Francis, você vai me desculpar, mas eu conheço vocês e sei que adoram tirar sarro da nossa cara.
— Pergunta para elas se elas querem alguma prova... — sugere o menino, olhando para mim.

— Mari, ele perguntou se você quer uma prova de que ele está aqui...

— E como ele vai fazer isso? — pergunta a Mari.

— Se vocês assustarem a gente, ou voar alguma coisa do nada, eu vou embora. Já estou me cagando aqui — diz a Marli, morrendo de medo.

— O que você vai fazer? — pergunto ao menino.

— Deixa comigo. Elas querem uma prova ou não? — pergunta ele, sentado no colo da Marli.

— Ele quer saber se vocês querem a prova ou não.

— Sim, quero só ver o que vocês vão aprontar! — responde a Mari.

— Pergunta para a Mari se ela gostou de sair com o pai do Ryan do quarto ano B. E pergunta para a Marli se a Dirce dela está com desenho de bigodinho em homenagem ao Chaplin ou ao Hitler — fala ele, com um sorriso no rosto, mas, antes que ele possa continuar, eu interrompo.

— Mari! Você saiu com o pai do Ryan do quarto ano B? E, Marli, você está com a Dirce toda trabalhada no bigodinho?

As meninas ficam sem reação, me olhando avermelhadas, então, antes que o menino fale mais alguma coisa, a Josi começa:

— Eu quero dizer que eu acredito! Eu acredito! Ele não precisa provar nada para mim, não! Não que eu tenha algum segredo que vocês não saibam, mas eu sou uma mulher de fé. Menino, se você estiver me ouvindo, eu acredito em você. *Tâmo* junto! — E dá um soco no ar, como se estivesse cumprimentando alguém.

— Eu vou embora! Eu não tenho maturidade para isso, estou morrendo de medo. Como foi que vocês descobriram isso?! — diz a Marli.

— Não! Fica, Marli, o menino é do bem. Ele veio para ajudar. No começo, eu também não aceitava e achei que estivesse louca, mas depois você acostuma — tento acalmá-la.

125

— Fala para ela que a diretora tem alergia a camarão e que a mãe do Wellington, da sala dela, usa ponte nos dentes. Se ela precisar usar essas informações, pode ficar à vontade! — diz o menino antes de sumir.

— Meu Deus! A diretora Carmem tem alergia a camarão e, Marli, a mãe do Wellington da sua sala usa ponte. O menino disse que você pode usar isso a seu favor!

— Eu sabia que aquela mulher tinha um sorriso que não ornava com o resto do corpo dela! E quando nós vamos preparar um bobó de camarão para a Carmem?! Gente do céu, já estou gostando desse menino. Ele não tem um outro para me apresentar? Aliás, o meu pode ser um universitário, todo malhadinho e sarado, só de mochila azul, mais nada! Estou precisando de um desses para me ajudar. Pergunta mais coisa para ele, ele ainda está aqui? — A Josi está se rachando de rir.

— Não! Ele já foi!

— Se ele aparecer, avisa a gente, hein?! Se ele subir no meu ombro ou passar a mão em mim, eu quero saber. — Marli é a mais cagona.

As irmãs estão com tanto medo que vão ao banheiro juntas.

— AHHHHHHHHHH! — Escutamos um grito da sala.

— Socorro, misericórdia, o sangue de Jesus tem poder! O menino acionou a descarga bem na hora em que eu estava mijando.

— A Marli está pálida, com as calças arriadas e toda mijada. A Mari não esboça nenhuma reação, está em choque.

— A descarga da privada está com problema. Ela aciona sozinha às vezes. — Eu estou quase mijando na calça igual à Marli, de tanto rir.

— Ainda bem que foi xixi. Se tivesse sido cocô, eu estaria toda cagada a essa hora. E você não ri muito, que eu mijei no seu corredor inteiro.

Depois de muita conversa, consigo acalmá-las. Explico pra elas novamente que ele é uma coisa boa e elas começam a aceitar a ideia. Vão me apoiar, desde que eu continue indo ao médico e fazendo exames periódicos. É natural que elas não tenham a mesma convicção que eu; afinal, só eu vejo o menino.

Já estou a ponto de me despedir delas quando a minha campainha toca. Nesse momento, a Marli pula de susto e diz:

– É ele, Francis? É o menino? Misericórdia, acho que, se eu vir um menino de mochila azul agora, eu morro. Pode até ser o meu filho de mochila azul. Nesse momento, não estou em condições.

– Não sei! Ele já tocou a campainha de casa algumas vezes e, do jeito que adora uma bagunça, pode ser ele, sim. Deixa eu verificar quem é.

Enquanto eu caminho para a porta, as meninas correm para o corredor e ficam amontoadas de medo. Abro a porta e é meu vizinho sem camisa.

– Oi, me desculpa o horário, mas eu tenho um crédito. Afinal, hoje você me tirou da cama logo cedo. Queria saber se aquela chupeta está de pé. Brincadeira, você tem açúcar para me emprestar? – diz ele, apoiado no batente da porta.

– Eu tenho, sim! Só um momento!

Eu estou totalmente sem graça e busco o açúcar o mais rápido que posso. Enquanto estou na cozinha, escuto uns movimentos na sala e, quando volto, as meninas estão sentadas de volta no sofá, junto com o meu vizinho.

– A gente não ia deixar o moço parado de pé na porta. Que falta de educação, Francis. – Josi segura a risada.

– Suas amigas foram muito legais comigo – diz o rapaz.

– A gente estava alertando-o. Se ele ficar pedindo as coisas aqui, vai ter que ajudar você com as atividades da escola. Quando ele menos esperar vai estar manuseando cola quente – diz a Mari.

127

— Alertando nada. A gente quer saber que história é essa de chupeta — corrige a Josi.
— Josi! Está louca? — diz a Marli.
— Louca nada. Ele que falou que queria saber se a chupeta estava de pé. A Francis é meio lerda. Se deixar por conta dela, a chupeta chega a ficar murcha. Quanto a estar de pé, essa responsabilidade é dele — diz a Josi, deixando todo mundo sem graça.
— Olha, está aqui o seu açúcar. Não liga para as minhas amigas, não. São todas professoras, tudo doida! — falo enquanto dou o açúcar para o rapaz.
— Sem problemas, eu achei bem divertidas! Quanto à chupeta, ela me acordou às seis da manhã pedindo uma! — conta ele.
— Olha só! Quem te viu, quem te vê! Antigamente demorava horrores para flertar com alguém, agora já está fazendo chupeta delivery? — brinca a Mari.
— Mas você não vai nem apresentar o rapaz pra gente? — pergunta a Josi.
— Então, gurias, esse é o... — Fico olhando para ele, esperando que ele complete a frase, porque eu não sei seu nome. Meu Deus, estou megaconstrangida!
— Você não sabe nem o nome dele? — pergunta a Marli.
— Jeová! Fazendo chupeta num anônimo? Você passou dos limites, amiga! — Josi está quase enfartando de rir.
— Meu nome é Eri. Prazer, moças! — diz o rapaz, cumprimentando minhas amigas.
— Pera aí, ninguém chama só Eri. Qual é o nome real? Revele já o conteúdo oculto nas profundezas... Nós somos professoras e entendemos de nome, sabemos que há mais coisa que precisa ser trazida à luz! — diz a Mari.
— Eridenelson, o nome inteiro é Eridenelson!

— Misericórdia! Isso é nome daquelas crianças públicas. Com certeza deve ter uma irmã que se chama Sulyani Ingrid — fala a Mari.

— Estava bom demais para ser verdade! Mas nós vamos chamar você de "Kubanacan", porque você, sem camisa, parece aquele personagem da novela... É muito melhor que Eridenelson, aliás, continue usando só o Eri mesmo! — disse a Josi.

— Então, meninas, eu obviamente estava brincando com a história da chupeta. Não me levem a mal, me deixem explicar o que aconteceu... — Antes que o rapaz possa continuar, Josi o interrompe:

— Mas explica logo e vai pra casa colocar uma camiseta, porque a gente não tem maturidade de ficar te olhando sem camisa muito tempo, não. A Francis mesmo vai ficar com os hormônios todos desregulados.

— Eu, né, Josi?! Eu?! Kubanacan, pode deixar que eu explico para elas — digo caminhando em direção à porta.

Meu vizinho se despede das minhas amigas e, antes de ir embora, me dá um abraço bem forte, falando no meu ouvido:

— Na verdade, eu nem precisava de açúcar! Tchau!

Eu nem consigo responder nada, só dou um sorrisinho amarelo e fico olhando aquelas costas morenas e malhadas indo embora para o apartamento da frente. Quando me viro, as meninas estão em cima de mim, olhando o Kubanacan ir embora também.

— Se as costas já são bonitas assim, imagina com a marca das minhas unhas? — sugere Marli.

— Marli? Até você? Meu Deus, gente, vocês me fazem passar por cada uma! — Fecho a porta e volto para o sofá com as gurias.

— A gente? Você chama a gente aqui, fica falando uma hora de um menino de mochila azul que aparece para você, deixa todo mundo com o cu na mão e esconde da gente que fez chupeta no Kubanacan?! Quem quer saber de menino de mochila azul com

129

um vizinho desses? A melhor parte da história você não contou! – reclama a Josi.

– Não é nada disso, Josi! Está louca?! Hoje de manhã, liguei para o seguro porque o meu carro estava sem bateria, e o imprestável do meu ex não me avisou que o seguro está vencido. Eu, professora lesada, nem me atentei a isso, aí eles não puderam me atender. O seu Dirceu disse que poderia fazer uma chupeta, mas precisava de um carro para puxar a energia, e eu fui pedir a ajuda do Kubanacan... Ele saiu todo sarado, eu me enrolei com a solicitação da chupeta e foi isso! Nada de mais, suas podres! – Acabo de dizer isso e a campainha toca de novo. As gurias vão correndo abrir.

– Não! – Eu tento impedi-las, mas de nada adianta.

Quando abrem a porta, é o menino de mochila azul, parado, olhando para elas, mas elas não veem ninguém, exatamente ninguém! As gurias travam, a Marli me olha, pálida, acena com a cabeça em um movimento de negação e pergunta:

– Não é o menino, é?

– Aham, é ele, sim, bem pertinho de vocês! – eu digo isso olhando para o menino, que está com uma cara de sem-vergonha ao ver as gurias se cagarem de medo. Elas fecham a porta correndo e voltam para dentro.

– Eu estou toda arrepiada! Gurias, eu vou embora, chega de espírito por hoje. Uma hora é um menino, outra hora é um gostoso que aparece, é muita emoção para um dia só! – Mari pega as coisas para ir embora.

No fim das contas, todas começam a se preparar para ir. Eu as acompanho até a portaria, porque elas estão morrendo de medo – o que é totalmente compreensível; afinal, foi uma noite bem agitada e atípica. Volto para o apartamento e o menino da mochila azul está sentado no sofá, com as perninhas balançando e os braços entrepostos atrás da cabeça. Sento-me ao lado dele, que se adianta:

— Começamos bem com o Mateus. Com certeza, ele ficou muito feliz em conhecer essa versão da Francislena. Agora vamos começar a trabalhar em outros pontos da sua vida. Tem muito trabalho pra fazer.

— Vai me ajudar a reestruturar a minha vida financeira? Você vai ficar aqui até eu ficar rica e sarada?

— Francis, eu teria que esperar a outra encarnação para isso acontecer, sou só um enviado. Quem faz milagres é Deus, meu poder é limitado e você é professora... Pra você ficar rica, o ideal seria nascer de novo. Mas vamos tentar melhorar a questão afetiva, física e profissional. Quanto à vida financeira, se eu conseguir te ajudar a colocar as contas em dia, já está ótimo! Quando eu sentir que você está se reencontrando consigo mesma, é a hora de eu ir embora. Eu só dou o empurrão, mas a jornada é sua.

— Eu estou tão desorientada e desorganizada, que sou uma das suas missões mais difíceis, né? – pergunto ao menino.

— Sem dúvidas! Se eu conseguir melhorar a sua vida, serei promovido a espírito pleno de luz, porque eu ainda sou trainee.

— Mas por que você fica usando essa mochila azul? – Faz tempo que quero perguntar isso para ele.

— A mochila azul? Um dia você vai saber. Quanto a eu ter vindo na forma de aluno, nós assumimos a forma daquilo que mais vai chamar a atenção da pessoa, algo que a incomode de alguma forma. Eu poderia ter assumido a forma da diretora Carmem, porque ela te incomoda bastante, mas você provavelmente não iria querer parar para escutá-la; poderia assumir a forma de um homem, mas você é muito lerda e desatenta com eles; então, achei que vindo como um aluno seria a forma mais interessante de chamar a sua atenção. Vale ressaltar que, apesar de os alunos serem terríveis, é possível você aprender com eles. Talvez não seja algo teórico, mas eles podem te ensinar outras coisas, como amor, superação, fé, paciência e muito mais.

— Mas por onde vamos começar? É tanta coisa!

— Vamos começar pela vida sexual, chame o Kubanacan aqui! Brincadeira, as coisas vão acontecendo naturalmente, mas amanhã vamos aproveitar esse sabadão de ousadia e alegria! Apenas confie em mim.

— Falando em melhorar a minha vida em todos os sentidos, eu tenho que adiantar umas atividades e cortar uns EVAs. Você me ajuda? — pergunto isso enquanto me dirijo até o quarto para buscar o material. Quando volto à sala, ele já não está mais lá. Parece o meu ex: bastou falar em trabalho, ele evapora.

8 Curtição Mode ON!

Abro meus olhos calmamente, olho para o relógio e percebo que são dez e quinze da manhã. Que sensação boa; fazia tempo que eu não tinha uma noite de sono assim. Não acordei nenhuma vez, dormi igual a uma pedra.

Pego o celular e vejo uma mensagem do Mateus me agradecendo pelo café e pelas coxinhas: isso, para mim, é algo incrível. Mãe é tudo boba mesmo, e eu respondo com um "bom dia" e a foto de uma rosa com chuva de glitter, só para irritá-lo.

Estou me sentindo feliz e disposta a um recomeço, cogito até a possibilidade de mandar uma mensagem para o Miguel, mas a minha autoestima ainda não permite – depois de toda a vergonha passada, meu bom senso ainda me censura. Tomo café e vou ao salão dar um tapa na *make*, cortar o cabelo, fazer as unhas e depilar a Dirce; fazia um bom tempo que eu não me dava um dia de princesa de presente. Geralmente, faço as unhas em casa para economizar. Com certeza, se fosse possível cortar o cabelo sozinha, eu já teria aderido a essa técnica. Colocar água no condicionador, reaproveitar copo de requeijão, fazer um bolo para utilizar o calor do forno, cortar uma calça e fazer bermuda, cortar a bermuda para fazer um shorts, depois fazer retalhos do shorts para usar em caracterizações de caipira, fazer da camiseta velha um pano de chão, torrar o pão amanhecido, enfim... Digamos que o professor é um ser sustentável, tenta reaproveitar o máximo que pode.

Voltando para casa, reabro o Tinder. Há vários contatinhos! Verifico os perfis, as fotinhos e as descrições. Tem um rapaz que me deixa na dúvida sobre dar o *like* ou não, mas, como eu estou vendo a positividade das coisas, dou o *like* e imediatamente escuto:

— Você não fez isso...

Quando me viro, o menino de mochila azul está sentado na cabeceira do sofá, me espiando.

— Agora você vai se meter até no meu Tinder? — pergunto, escondendo o celular.

— Claro! Se eu deixar você mexer nisso sozinha, você vai destruir a sua vida. Não é à toa que outro dia você deu match com um Amadeu... O mínimo que eu posso fazer é te ajudar. Vamos lá, abra as fotos que eu vou falar se você deve dar o *like* ou não. Você não quer tirar uma foto hoje? Aproveita que você foi ao salão e atualiza seu perfil. Afinal, sabemos que você ir ao salão é igual a eclipse lunar, só acontece de vez em quando — ele debocha de mim.

— Não vou fazer isso. Eu acredito na minha capacidade de escolha e outra coisa: gente bonita como eu não precisa ir ao salão sempre, vai só para manter e ajustar o que já é belo.

— Você acredita mesmo nisso?! Mas começou a acreditar há pouco tempo, né?! Porque quem olha seu ex diz que é algo inacreditável o que você fez. Eu não te ajudei com o Mateus?! Então, deixa eu te ajudar com o Tinder também. Confie em mim, eu consigo ver a aura da pessoa, coisa que você não consegue enxergar.

— Seu argumento foi bom, mas, se eu achar que eu devo curtir, eu vou curtir! Vamos lá, eu abro a foto e você me diz o que

achou – eu digo isso e começo a mostrar as fotos para ele. – Vamos lá! O que achou do Gabriel?
– Está com o IMC acima do peso, e ele colocou uma foto de regata. Isso é um caminho sem volta.
– Henrique? – pergunto.
– Muito certinho, parece filho do João Dória. Acho que anda com um álcool gel na pochete – diz ele, indignado.
– Gostou do Pedro?
– Se for para formatar meu computador, sim! Mas, se for para uma noite selvagem, é capaz de ele aparecer vestido de elefantinho.
– Arthur?
– Esse pode dar *like*! Dá um *like* agora!
– Mas ele está parecendo tão novinho!
– Não, ele está numa idade boa, quem está velha é você. Se você for eliminar os mais novos, não sobra muita gente! Além disso, os novinhos têm lactobacilos vivos e você está precisando de uns anticorpos. – Ele dá risada da minha cara.

Dou um *like* no Arthur. Ele é bem novinho, mas parece ser um rapaz maduro. De repente, o menino da mochila azul pega o celular da minha mão.

– Você é muito demorada, fica analisando como se fosse casar com a pessoa. Você está conhecendo uma pessoa ou fazendo análise de crédito?! Daqui a pouco vai pedir o SPC e Serasa delas antes de dar *like*... Confia em mim, eu vou dar os *likes* de procedência e já vou desenrolar a conversa, mas, se alguém perguntar sua estatura, eu não vou mentir.

– Não! Você está louco? Vê se não me aparece com qualquer um.

– Qualquer um é melhor que nenhum! Você está sem nada, bebê. Confia em mim, eu quero o seu bem!

— Mas eu quero ver as fotos enquanto você navega. — Não iria ser louca de largar o celular às cegas na mão dele.

Enquanto ele analisa e escolhe os perfis, também comenta em voz alta para que eu ouça a opinião dele acerca dos candidatos. São só adjetivos terríveis como: papudo, estranho, abduzido, suado demais, cabeçudo. De repente, ele diz "fedido", aí eu intervenho:

— Como você sabe que alguém é fedido pelas fotos do Tinder?

— Porque ele está com a mesma roupa em todas elas. Ninguém consegue ficar cheiroso usando apenas a mesma roupa.

— Você tem razão, ponto para você! Não me atentei a esse detalhe, mas você está passando por alguns perfis em que eu daria *like*... Você é muito exigente, menino.

— Justamente por isso que eu estou com o celular na mão, porque nós não confiamos no seu filtro! — Depois de algum tempo mexendo, ele conclui. — Nossa, não dá pra ser muito seletivo nesse aplicativo. Você estava certa em analisar bastante, isso restringe muito o número de candidatos. Vamos ter que ampliar um pouco mais os filtros. A partir de agora, serão classificados como aptos todos os calvos, os papudos e um fedido vai entrar como cotista...

— Não! Para com isso! Você me criticou porque eu não era seletiva e agora vai curtir qualquer um?! — digo isso e tento pegar o celular da mão dele.

— Mas eu não vou curtir nenhum Amadeu! — ele fala e sai correndo com meu celular. Eu corro atrás dele, mas não consigo alcançar.

Ele sai na direção da cozinha e, antes que eu vá atrás, ouço a minha campainha tocar. Será que é ele tentando me despistar? Fico parada, indecisa e pensando se atendo à campainha ou sigo meu caminho. Resolvo atender e, para a minha surpresa, quando abro a porta, é meu vizinho sem camiseta, de novo.

— Oi!

— Oi, Kubanacan!

– Então, estava chegando em casa e resolvi falar um "oi" – diz ele.
– Então, oi! É só isso?! – respondo. Ele dá um sorrisinho sem graça e rapidamente eu completo: – Estava brincando! Como você está? Tudo bem? Está precisando de açúcar? Hehehe...
– Estou bem, sim. Na verdade, eu te disse que nunca precisei de açúcar, acho que estava *precisado* mesmo era de companhia. Falando nisso, você tem algum compromisso para hoje à noite? Se estiver tranquila, pensei de a gente *irmos* dar uma volta. – Ele entorta a cabeça para a esquerda. Eu já havia me esquecido desse tique, eis que ele ressurge das profundezas do ridículo.

Meu Deus! Eu não sei se quero sair com ele, acho que ele não faz muito meu tipo. Além disso, ele falou "precisado", seguido de "irmos". Meu fígado chegou a doer. Ai, Deus... Não vou negar, ele é bem gostoso e másculo, mas está muito engraçado o jeito dele de inclinar a cabeça tentando sensualizar. Além disso, toda vez que ele termina uma frase, eu percebo que ele dá uma piscadinha e entorta a boca. Meu Jeová, eu achei que esses tiques eram involuntários, que ele fosse mais uma vítima, mas agora percebo que é uma manobra peculiar de sedução, uma técnica grotesca de acasalamento. Parece o Sylvester Stallone da inclusão. Não é nada sensual isso! Fico parada olhando para ele e rindo, sem saber o que responder.

– E então?! – pergunta ele, piscando e entortando a boca de novo.
– O que estava pensando em fazer? – Cruzo os braços e demonstro indecisão e resistência, me fazendo de dominante.
– Pensei da gente *irmos* tomar uma cerveja e comer *umas porção* – ele responde e pisca mais uma vez. Mas o pior de tudo é que ele falou "umas porção". Isso me arrepia dos pés à cabeça, então, a cada erro de português, eu me concentro no peitoral dele.
– Mas tem algum lugar que você indique? E que seja barato? – pergunto isso; afinal, é um ponto determinante.

— Que *seje* barato? Tem o bar do Jabuti. É bem legal lá! — Ele pisca novamente e mexe o peitoral, fazendo movimentos de contração, mas não é por isso que meu ar chega a faltar. Eu estou chocada com o "seje" e repito mentalmente: "peitoral, peitoral, peitoral, olha esse peitoral".

— Talvez eu consiga ir, mas não sei, tenho um monte de atividade para preparar... — Continuo de braços cruzados para reforçar a resistência.

— Francis, pensa bem, pode ser legal... A gente bate um bom papo, toma uma cerveja. Garanto que você vai se divertir.

Ele toca e acaricia meus braços. Pela primeira vez, a técnica de sedução dele funciona. Ele tem uma mão boa — pelo menos isso, porque a gramática é péssima. A merda é que ele pisca de novo, e eu não resisto e comento:

— Acho que você está com um cisco no olho, parece que está meio incomodado... — falo séria, mas querendo rir.

— Meu olho está bem, sim. O que não está bem é meu coração sendo desprezado por você...

Nesse momento, ele me aperta com uma certa pressão. Pela primeira vez, ele está sendo efetivo de verdade. Todo meu senso crítico vai por água abaixo e, no impulso gerado pelo carinho e pelo arrepio da Dirce, que contrai igual ao peitoral dele, eu aceito o convite.

— Sim, vamos, então! Eu não quero ser a responsável por ferir seu coração.

— Combinado! Só vou deixar o farol apagado para eu *se* garantir na chupeta.

Ele estava indo tão bem, tinha que cagar aos quarenta e cinco do segundo tempo?! Mas eu não tenho muitas opções; aliás, nesse momento da minha vida, não tenho nenhuma. A única opção do Tinder é o Amadeu e nem o Miguel eu tenho mais, então aceitar é uma boa ideia.

— Enquanto você se arruma, eu vou na farmácia para garantir a sua chupeta — respondo para entrar na brincadeira.

— Ok, combinado! À noite, passo para te pegar.

— Combinado, te espero à noite, mas, pelo amor de Deus, coloque uma camiseta! Toda hora que olho, você está sem camisa! Parece que eu estou assistindo *Largados e pelados*, do Discovery, e olha que em Curitiba nem faz esse calor todo para você ficar andando seminu.

Antes de ele se despedir, dá mais uma piscada e inclina a cabeça. Eu já estou achando que, em vez de técnica de sedução, ele tem é um tique nervoso mesmo. Quando volto para a sala, o menino está sentado e me olhando com cara de deboche.

— Eu me dedicando aqui em arrumar um pretendente interessante para você, e você vai sair com o Tarzan?!

— Por enquanto ele é uma das melhores opções que eu tenho. Além disso, tenho que aproveitar que fui ao salão. Não dei um tapa na Dirce à toa!

— Me poupe dos detalhes, Francis! E digo mais, o Tarzan não é seu único pretendente, já arrumei quatro combinações para você no Tinder. Vamos aos candidatos: Pedro Henrique, Wanderson, Brito Ramos e o novinho do Arthur, o que acha?

— Você está de sacanagem? Wanderson? Com certeza ele deve ter um irmão que chama Washington e uma irmã chamada Wendiely, todos com W. Brito Ramos é nome de marca de pistola de cola quente! Eu vou olhar para o rapaz e vou ter vontade de mexer com EVA. Pior ainda Pedro Henrique, que é o nome do meu pior aluno, é inevitável fazer uma associação entre eles... Eu nem o conheço e já projetei meu aluno nesse rapaz, já peguei ranço! Ele deve ser insuportável, não deve parar quieto, com certeza é mimado e imaturo! E o Arthur é muito novo, eu acho que prefiro o Amadeu — respondo para ele e pego o celular de volta para ver as fotos dos pretendentes.

– Deixa que eu converso com eles. Se eu gostar, marco um encontro com algum... Vamos ver se você quer me ajudar mesmo ou se está me arranjando refugos. Quando checo o celular, todas as conversas com os pretendentes começam com a seguinte frase:

"Oi, meu nome é Francislena. Sou professora e tenho entre um metro e quarenta e um metro e setenta. Tirando isso, o restante é só lucro."

– Meu Deus, menino! Olha só o jeito que você começou as conversas, está louco?

– Francis, é melhor começar com a parte ruim. Se eles continuaram a conversar foi porque gostaram de você. Na verdade, o único que não conversou foi o Arthur! – responde o menino.

É o menino acabar de falar isso que chega uma mensagem do Tinder: "Arthur te enviou uma nova mensagem". Abro e encontro escrito:

"Olá, eu *mim* chamo Arthur!" "Mim chamo"? É sério que ele escreveu "mim chamo"? O que ele tem de bonitinho também tem de burro, como é que pode?! Quem deve ter sido a professora desse infeliz? Mesmo assim, resolvo responder:

"Olá, Arthur, tudo bem? Então, antes que a gente comece a conversar, eu preciso te dizer que não é 'mim chamo', o correto é 'me chamo'. Eu, como uma boa professora, preciso te corrigir."

"Eu sei que o correto é 'eu me chamo', não 'eu mim chamo'!", responde ele.

"Mas por que escreveu errado então, criatura?". Eu já estou ficando sem paciência.

"Eu falei para provocar você, sabia que iria ficar irritada com isso! E quando chama as pessoas de 'criatura' é porque está bem irritada", diz ele, seguido de uma bela risada.

"Como sabia que eu ficaria irritada? Por acaso, você me conhece?"

"Claro que conheço, professora! Graças a você que aprendi a ler e escrever, como iria esquecer da senhora?! Achei legal encontrar a senhora aqui, nunca imaginei isso! A senhora no Tinder! Se eu contar pros meus amigos, eles não vão acreditar! A diretora Carmem está no Tinder também, mas eu não curti a fotinho dela, não, só a sua!" Eu não acredito que isso está acontecendo! Eu estou no Tinder com um ex-aluno meu! Isso é terrível, significa que eu envelheci demais! Ai, que vergonha! Estou me sentindo uma pedófila, mas pelo menos ele aprendeu alguma coisa comigo. O menino da mochila azul, olhando para a conversa e dando risada, comenta:

– A professora, hein?! Querendo dar aula particular para o novinho... Daqui a pouco vai pegar a turma de jovens e adultos.

– Sai fora, menino, isso aqui é culpa sua! Eu não estou dando em cima de ninguém! Eu não sabia que ele era meu ex-aluno, mas vou resolver isso já.

Envio para ele:

"Olha, Arthur, foi um prazer poder falar com você novamente. Desculpa eu não te reconhecer, mas não vai rolar nada entre a gente."

"Eu sei, professora! Eu não gosto de mulher velha, só dei o *like* porque eu achei engraçado ver a senhora aqui e queria falar um 'oi' pra você!"

Que filho da mãe! Me chamou de velha na cara dura, nem disfarçou! Quando você acha que se livrou dos alunos, eles ressurgem na sua vida e conseguem tirar a sua paz mesmo que a distância. Fico tão brava que deleto a conversa com o Arthur e vou correndo passar um creme antirrugas. Será que eu estou velha de verdade? Que sensação terrível! Eu sei que não sou mais uma cocotinha, posso estar sempre cansada, mal arrumada e um pouco desleixada, mas velha?! Aí já é demais.

– Você me acha velha? – pergunto ao menino.

— Se você tiver cinquenta reais no bolso, você prefere comprar bebidas, drogas ou uma Tupperware na promoção? — responde ele.

— Puxa, Tupperware por cinquenta reais balança a gente, né?

— Só de você ficar balançada pela Tupperware já demonstra que você é velha. Pessoas novas não gastam dinheiro com potes, elas nem se preocupam com isso. Na verdade, elas guardam as coisas nos potes que os mais velhos compram. Mas, de longe, você parece bem novinha.

— Não tem nada a ver isso que você falou! Toda mulher que trabalha e tem responsabilidades gosta de uma Tupperware. Eu sei que eu não estou velha, só perguntei por perguntar.

— Então por que você tem creme antirrugas? — pergunta o menino.

— Porque a profissão de professora me gerou rugas antes do tempo. A profissão é tão estressante que tem estagiária cheia de rugas. Esses capirotos envelhecem a gente! Bota a Ana Hickmann como professora! Em pouco tempo ela vai parecer a Hebe Camargo pedagógica! Enfim, eu não quero falar mais disso, tenho que relaxar e me preparar, porque hoje à noite eu tenho um encontro.

— Ok! Eu vou embora. Velhos têm que cochilar um pouquinho à tarde, né? — ele debocha da minha cara.

Antes que eu possa retrucar, ele some. Aproveito que estou sozinha, dou uma relaxada e acabo pegando no sono (não é que o menino tinha razão?! Que raiva dele!). Acordo e começo a me preparar para o encontro. Eu estou extremamente ansiosa: faz um bom tempo que eu não saio com alguém em um encontro marcado. Cerca de duas horas antes, já entro para o banho, porque eu quero que dê tempo de secar o meu cabelo para ter certeza de como ele vai ficar. Troco de roupa cinquenta vezes, parece que nada fica bom, e no final decido usar um vestidinho e uma jaqueta jeans por cima – aqui em Curitiba, a gente sempre precisa ter uma blusinha no gatilho, porque a temperatura muda do nada. Meia hora antes, eu já estou pronta; aliás, relativamente pronta. Parece que faltava alguma coisa, mas, analisando friamente, eu sei que eu estou bem linda e com a Dirce toda trabalhada na lisura.

– Oiê! – É o menino surgindo atrás de mim, do nada.

– Ai, que susto! Você tem que aprender a chegar com mais jeitinho, já falei isso pra você! O que está fazendo aqui?

– Vim te desejar boa sorte no encontro de hoje e te dar as orientações finais. Mas, antes, deixa eu te dizer: você está linda! Nossa, quem te vê assim nem imagina a idade que você tem! – O menino ri da minha cara.

– Obrigada pelo elogio travestido de deboche, como sempre, né?! E eu não preciso de orientações, me garanto sozinha!

– Ok, não vou contrariar você. Vamos fingir que você tem razão... Por que você não aproveita esse tempo que tem ocioso e manda umas mensagens para o Mateus? Vai aliviar o seu nervosismo. Ou, então, uma mensagem para o Miguel?

– Que Miguel o quê?! Não estou em condições de falar com ele ainda – digo isso enquanto caminho para o espelho para dar a última verificada.

Quando volto para a sala, o menino não está mais lá. Aproveito para conversar um pouquinho com o Mateus e continuo derrubando as minhas armaduras, sendo mais leve com ele para a conversa fluir bem. Não é uma conversa mega-agitada, com muitos risos e emojis, mas, em vista do que era, está maravilhosa. Confesso que até penso em mandar uma mensagem para o Miguel, mas não tenho coragem. Eu olho para o celular, mas a coragem não vem; chego até a digitar alguma coisa, mas apago. Enquanto estou nesse dilema, a campainha toca.

Abro a porta e é o Kubanacan, vestindo bermuda, camiseta regata com estampa de futebol e tênis daqueles de corrida bem

143

coloridos, com a meia chegando até o meio da canela. Será que vamos caminhar e eu não estou sabendo? O pior é que vazavam alguns pelinhos do sovaco dele, tipo perninhas de barata ou cabelos de milho com frizz! Por que eu fui reparar nisso? Agora não consigo tirar os olhos desse ponto em específico. Julgando pela vestimenta, fico totalmente apreensiva imaginando o lugar aonde ele vai me levar.

– Boa noite! Nossa, você está linda – diz ele, depois pisca e quebra o pescoço para a esquerda.

– Obrigada, você também fica ótimo até de regata. – É o maior elogio que eu consigo oferecer.

– E aí, está pronta?

– Se a noite não envolver esportes radicais ou algum tipo de aventura, eu estou, e você? – Quero que ele responda "eu não estou pronto, vou me arrumar ainda", porque essa roupa está horrorosa.

– Estou, sim! – diz ele.

– Aonde iremos? – pergunto. Melhor enfrentar a realidade agora do que me ferrar criando muita expectativa.

– Surpresa! – ele responde, piscando e levantando a boca. Que raiva dessa mania dele.

Essa era a única coisa que eu não queria ouvir. Não estou nem um pouco confortável com a surpresa que pode vir. Descemos para o carro, mas, antes de sairmos por completo, mando uma mensagem para as meninas: "Estou saindo com o Kubanacan. Se eu não der sinal de vida em uma hora, avisem a guarda costeira. Ele está de regata, bermuda e tênis de correr. P.S.: É verdade esse bilete".

Vamos em direção a um bairro que eu não conheço muito, chama-se Sítio Cercado. Fica um pouco afastado do centro da cidade e eu tenho um pouco de dificuldade com localizações geográficas. A conversa no carro até que flui legal, falamos um pouco

das nossas vidas. Como ele está dirigindo, seu olho esquerdo não está no meu campo de visão; dessa forma, não fico vendo-o piscar desnecessariamente ao tentar me seduzir.
– Chegamos! – diz ele.
"Fui sequestrada!", é a primeira coisa que me vem à cabeça. Ele me trouxe para um cativeiro. Estamos numa quadra de futebol, a Cancha de Futebol do Nereu. Não acredito que eu me arrumei e me depilei para vir parar aqui! Daqui a pouco, ele vai me colocar para completar o time. Não aguento e, disfarçadamente, tiro uma foto da fachada para mandar para as meninas, com a legenda: "Estou viva, mas preferia estar morta. Estou na cancha de futebol do Nereu, façam vaquinha e paguem meu resgate."
Pouco tempo depois, vêm as risadas e os deboches. A Josi me manda:
"Deu um tapa na Dirce à toa. Você tirou tudo ou deixou graminha *society* em homenagem à cancha?"
Nossa, eu estou muito frustrada! É uma quadra de futebol com um bar ao lado, umas mesas de plástico, vários homens sentados tomando cerveja, alguns capirotos correndo descontrolados e eu, lindinha de vestido, com a Dirce toda estilizada. Eri parecia um homem engraçado, equilibrado; tirando uns errinhos de português, ele conversava bem. Jamais achei que fosse me trazer numa cancha de futebol. Acho que, na ânsia de sair com alguém, eu desativei muito meu senso crítico, mas agora já é tarde, estamos fodidos lá na cancha do Nereu.
– Onde você quer sentar? – ele me pergunta. "Num táxi e ir embora pra casa", eu penso, mas respondo:
– Escolhe você, acho que está mais habituado do que eu.
Nos sentamos a uma mesa bem próxima ao espaço kids, onde eu justamente não quero sentar. Quando você está fora da escola, só quer um pouco de distância das crianças. Deveria existir um

mandado judicial exigindo que todas as crianças mantenham uma distância segura de professores.

Dou uma olhada no cardápio e não encontro muitas opções; a sugestão mais gourmet de todas é fritas com bacon. Enquanto escolho, o Kubanacan chama o garçom e pede uma cerveja com uma porção de torresmo. Torresmo! Quem pede torresmo num encontro? Você pede isso quando está com pessoas com que não tem a mínima intenção de transar. Ou seja, quando já tem um bom tempo de casado.

– Você come torresmo? – ele me pergunta depois de já ter feito o pedido.

– Eu como, mas jantei antes de sair de casa! Vou ficar só na cerveja por enquanto.

Quero olhar para ele e falar: "Come bastante torresmo, porque é a única coisa que você vai conseguir comer hoje".

Na medida do possível, nós tentamos conversar, porque o som das crianças brincando, pulando e brigando é ensurdecedor. O torresmo chega junto com a cerveja, mas eu começo a beber com muita moderação, porque, como estou de barriga vazia, vou ficar bêbada muito rápido – e, no atual contexto, isso é tudo que eu não quero.

Vou ao banheiro, mas não dá para fazer xixi. É pior do que banheiro de aluno. Volto para a mesa e ele está se atracando no torresmo. Eu fico olhando, morrendo de fome, mas não quero comer torresmo em um encontro. De repente, ele coloca a mão na minha perna por baixo da mesa; aliás, coloca a mão engordurada no meu vestidinho xadrez. Eu dou uma risadinha toda sem graça, mas não puxo a perna, acabo sendo conivente com essa situação. Eu estou muito desconfortável; todo o encanto que eu tinha pelo Kubanacan se esvai. O que achei que não pudesse piorar, piora quando escuto:

– Oi, professora. Oi, professora, professora!

Quando me viro, o menino de mochila azul está atrás de mim. Graças a Deus! Achei que fosse um aluno meu de verdade.
— Quem é ele? — pergunta o Kubanacan.
— Você está vendo também?
— Claro, não sou cego. Ele veio gritando em sua direção!
— É um aluninho meu, um fofo! Oiê, o que você está fazendo aqui?
— Eu vim aqui com meu pai, aí eu vi você e vim falar um oi — ele diz isso, me abraça e continua falando ao pé do meu ouvido.
— Na verdade, eu vim te salvar desse troglodita, siga-me. — E sai me puxando pela mão.
— Ei, aonde você está indo? — pergunta o Kubanacan.
— Ela vai passear um pouco, tio, ela é minha professora e não sua — diz o menino e mostra a língua.
Ele me leva para a parte de trás da área kids e me fala:
— Francis, eu estou adorando ver o seu sucesso afetivo. Que encontro, guria! Você deveria ter vindo com a roupa da escola mesmo, se produziu à toa.
— Nem me fale, menino, nem me fale... O pior é que vou ter que aguentar isso a noite inteira e estou morrendo de fome, mas não vou comer torresmo em um encontro.
— Mas, Francis, você não está mais em um encontro! Você sabe que não vai rolar nada, então se joga e aproveita da melhor forma possível. Você não precisa mais ser sensual, nem fazer questão de conquistá-lo. Coma torresmo com cobertura de bacon e recheio de porco; coma batata, arrote, peide, porque a sua renúncia e sua postura de boa moça não têm mais significado nenhum! Vem comigo! Confie em mim! — Ele me pega pela mão e sai me puxando.
— Aonde você está me levando? — pergunto.
— Confie, Francis. Confie!

Quando vejo, estamos entrando na área kids, o lugar onde eu menos quero entrar. A noite já está ruim e ele quer piorar ainda mais? Vai me botar para cuidar das crianças? Seguro-o pelo braço.

— Menino, você está louco? Eu não vou tomar conta de ninguém, não, eu estou de atestado justamente para não trabalhar.

— Eu não quero que você cuide de ninguém. Aqui você não precisa cuidar de ninguém, você não é professora. Aqui você é uma pessoa normal, eles já têm funcionários destinados a isso. Eu quero que você se divirta, não que controle as crianças. Hoje eu quero que você faça bagunça com elas, vem!

Ele me guia até o escorregador e, chegando lá em cima, me empurra. A primeira vez eu desço meio receosa, mas aos poucos vou percebendo que as crianças não me pedem nada, que nenhuma delas é responsabilidade minha, então eu desço mais uma vez. Depois, sinto uma bolinha batendo na minha cabeça. Quando vou xingar, vejo que foi o menino da mochila quem jogou, então jogo outra bolinha nele e ele lançou uma em mim; sinto outra bolinha lançada por um capirotinho que está à minha direita e retruco, jogando uma bolinha nele também. Para a minha surpresa, estou participando de uma guerra de bolinha com as crianças. Por incrível que pareça, estou me divertindo loucamente. Ligo o foda-se, desço no escorregador, mergulho na piscina de bolinhas e fico lá por um bom tempo. Me divirto muito com as crianças, como há muito tempo eu não faço. Quando estou saindo da área kids, ouço uma menininha dizendo:

— Queria que minha professora fosse divertida igual a você!

Se ela tivesse aula comigo, iria perceber que eu não sou tão divertida assim. Acho que as condições e as exigências da profissão vão deixando a gente mais ríspida e acabam nos tirando toda a leveza.

— Gostou? – pergunta o menino de mochila, todo suado.

— Olha, eu me surpreendi! Não é que eu gostei?! Até esqueci que estava num encontro péssimo. A única coisa é que eu fiquei com mais fome ainda.

— Ué, então vai lá e come! Você não está mais num encontro mesmo, sem falar que, esteticamente, você já está péssima de novo. Já está suando e com a Dirce toda suada... Agora só relaxa e come – dizendo isso, ele some no meio das crianças.

Quando eu volto para a mesa, a cara do Kubanacan me olhando está incrível. É um misto de raiva com estranheza. Acho que ele nunca saiu com ninguém que foi para a área kids brincar com as crianças, então estamos quites, porque eu também nunca saí com ninguém que usasse regata e me levasse numa cancha de futebol. Volto para a mesa toda descabelada.

— Onde você estava? – pergunta ele.

— Estava dando uns amassos ali, já que eu percebi que não iria rolar nada entre a gente... Brincadeira, eu encontrei o meu aluno, aí ele me levou para brincar junto com os amiguinhos dele. Acredita que eu voltei morrendo de fome? Posso pedir alguma coisa pra comer?

— Pode – responde ele com uma cara muito esquisita. Ele não para de me olhar, é nítido que está desconfortável. Tanto é que terminou a última frase e nem piscou na tentativa de me seduzir. Já que ele autorizou, eu chamo o garçom e faço o meu pedido.

— Por favor, veja uma porção de torresmo, uma batata com bacon e um cheeseburguer duplo pra mim.

— Mais alguma coisa? – pergunta o garçom.

— Ah, uma Coca Zero, por favor, com gelo! – Eu sou dessas que pede zilhares de calorias e, junto, uma Coca Zero para dar uma equilibrada no prejuízo.

O Kubanacan fica mudo, só me olha e não fala nada, mas dá para ver na expressão dele que a criatura está atônita com o meu pedido. Eu exagerei de propósito, para ver se ele se toca e não

149

comete mais esse erro com outras mulheres. Com certeza eu vou engordar uns dois quilos esta noite, mas eu estou engordando consciente e feliz.

Como feito uma louca, sem nenhuma etiqueta; pego batatas e torresmo com a mão e limpo a boca com o braço, igual as crianças fazem na escola. Com o canto dos olhos, posso observar a cara de reprovação dele. Tomo um gole bem grande de Coca, engulo o ar algumas vezes e solto um belo arroto. Volto a comer como se nada tivesse acontecido.

– E então, pra quem não estava comendo nada, você até que está com fome, não é? – pergunta ele.

– Um pouco que eu fico com essas crianças, já gasto energia suficiente para ter que me alimentar de novo – respondo.

– Eu estava pensando, você está a fim de ir para um lugar mais reservado? – ele fala isso e coloca a mão na minha perna de novo, voltando a piscar.

Desta vez eu não sou passiva, afasto a mão dele e respondo:
– Claro que eu quero ir para um lugar mais reservado! – E pisco para ele também!

– E em qual lugar reservado você está pensando? – pergunta ele, todo animadinho, piscando e se ajeitando na cadeira.

– No banheiro! Hoje é o que me resta... Menino, eu estou me cagando, acho que comi demais! – falo, dando dois tapas na barriga e piscando para ele também.

Se tem uma coisa que a professora desenvolve ao longo da vida é a arte de ser cara de pau e não ter muito respeito humano. Eu sou muito princesa, mas não me tire do sério: vou de Rapunzel a Fiona em dois palitos. Aliás, acho que a maior parte do tempo sou Fiona, mas, quando preciso, aciono a Rapunzel presente dentro de mim. Contextualizando a história da Rapunzel para a realidade da minha vida amorosa neste momento, eu acho que, em vez de uma bela trança, usaria um rabo de cavalo básico; o vestido daria lugar a uma camiseta e um moletom, e, em vez do príncipe, eu gostaria que um motoboy chegasse com uma pizza. Aí ficaria bem de boa, fechada no meu quarto do castelo vendo séries. Depois da resposta que eu dei para ele, percebo que ele fica super sem graça e, a partir de então, o silêncio se instaura. Ninguém fala com ninguém. Em vez de conversar com ele, atualizo as meninas do que está acontecendo; pego o celular e mando fotos de tudo que eu estou comendo e de como eu estou descabelada. Elas estão se acabando de rir comigo. A Josi vê as fotos e escreve:

"Se no primeiro encontro ele te levou numa cancha, imagina depois? Se namorasse com ele, ele te pediria em casamento numa quermesse." "Em vez de te levar numa cancha, deveria ter te levado para o mato. Pelo menos lá a grama é maior e dá pra fazer um amor selvagem", responde a Mari.

"Se transar na cancha, bata a roupa antes de entrar em casa, senão vai encher a casa de borrachinha!", completa a Josi.

Essas meninas não prestam, mas minhas histórias sempre rendem boas risadas. Como não há mais clima para permanecermos ali, o Kubanacan pede a conta e eu obviamente nem me ofereço para ajudar a pagar, porque não sou obrigada. Entramos no carro e iniciamos o retorno para a casa. Aproveito o clima fúnebre e mando uma mensagem para o Mateus:

"Filho, sei que você viria para a minha casa somente no final de semana que vem, mas, se não tiver nenhum compromisso, vamos ao cinema com a mãe amanhã?" "Até podemos ir, mas eu tenho algumas exigências!", responde ele.

"Quais? Desde que não seja ir numa cancha de Futebol, está ótimo."

"O quê? Por que eu iria numa cancha com você?"

"Nada, não! Estou brincando. Amanhã eu te conto. Quais são as suas exigências, filho?"

151

"Primeiro, tem que ser filme de terror. Segundo, vou pedir um combo de pipoca grande. Terceiro, vamos numa cancha de futebol depois!", responde ele, junto de vários emojis de risada.

"Combinado, mas você vai ter que dormir aqui, então, porque eu morro de medo de espíritos e depois não vou conseguir dormir sozinha!"

"Tá bom, mãe, eu durmo com você!"

"Então, combinado. Almoçamos no shopping e depois vamos ao cinema juntos."

Sem falar nada, entramos no carro e voltamos. Chegamos no prédio e, sem muita cerimônia, subimos para o nosso andar. Enquanto o elevador sobe, o Kubanacan se aproxima de mim, coloca uma mão no meu cabelo, sobe a outra para o meu rosto e diz próximo ao meu ouvido:

– E nós vamos encerrar o nosso encontro assim?

– Claro que não! Nós vamos encerrar deitadinhos, seu safado!

– Coloco a minha mão sobre a dele.

– Na sua casa ou na minha?

– Eu na minha e você na sua, bebê, cada um no seu colchão! Hoje, o máximo que vai acontecer é isso!

– Mas o que eu fiz de errado?

– Colocou a camiseta! – respondo.

O elevador chega ao nosso andar e vamos cada um para o seu apartamento, conforme eu mencionei. Não há a menor chance de rolar mais nada entre a gente, o Kubanacan estragou tudo. Sempre que eu for numa cancha de futebol, vou me lembrar desse fatídico momento.

Tomo um belo de um banho, me deito e escrevo nas minhas anotações tudo que aconteceu comigo: o encontro bizarro, o torresmo, a brincadeira com as crianças... Me diverti com os capirotos como havia muito tempo eu não me divertia. Apesar de toda a bizarrice da noite, eu estou indo dormir em paz. Acho que, se eu tivesse dado um passo a mais com o Kubanacan, iria me arrepender muito.

No outro dia, conforme combinado, um pouco antes do almoço, eu vou buscar o Mateus para almoçarmos e irmos ao cinema. Quando chego no prédio onde ele morava, ele está me esperando junto com o pai dele. Não acredito que eu tenho que olhar para a cara do falecido. Encosto o carro, o Mateus entra e, antes que eu possa ignorá-lo, o falecido diz:

— Quem te viu, quem te vê, Francislena. Quando era casada, não fazia nada da vida, agora está até indo ao cinema? As coisas mudam, não é?

— Meu querido, quando eu era casada, eu era obrigada a trabalhar por nós dois, por isso não tinha tempo de fazer nada. Agora que trabalho só por mim, tenho um tempinho para poder viver também. Em relação a algumas coisas mudarem, eu concordo com você. Algumas coisas mudam mesmo, outras, infelizmente não. E você, pelo jeito, continua o mesmo vagabundo de sempre.

— Mãe, chega! — diz o Mateus com cara de emburrado. Percebo que eu estou me estressando logo no início do passeio e com certeza é isso mesmo que o pai dele quer.

— Mas eu estou aqui para te ajudar... Tem até uma amiga minha que se interessou quando eu disse que nós nos separamos. Se quiser, posso fazer o meio de campo para você.

— Quem? — ele pergunta, se debruçando sobre a janela do carro.

— A diretora Carmem está precisando de um marido. Se quiser, posso indicar você para ela. Me entrega um currículo... Ah, esqueci... Acho que você não tem um!

— A gordona estressada? — pergunta ele, bravo.

— Isso! Ela mesma. Quem sabe você não consegue aliviar o estresse dela fazendo um amorzinho?! Se bem que, com o seu desempenho, ela vai ficar mais estressada ainda... Olha, acho que a única alegria que eu tive com seu sexo ao longo da vida foi o Mateus – digo isso e arranco com o carro.

Conforme o combinado, eu e o Mateus seguimos para o shopping a fim de almoçar e ver o filme. Ligo o som do Celta bem alto. Quer dizer, o mais alto que eu posso – porque, quando instalei o som, coloquei o mais barato, obviamente. Falando em barato, eu preciso acelerar para pegar o cinema antes das quinze horas, por causa do desconto – professora está sempre em busca de promoções.

Chegamos ao shopping e vamos direto comprar os ingressos do filme. O Mateus realmente quer um combo de pipoca, como disse antes. Se somarmos o combo ao ingresso, dá para comprar uma locadora, um carrinho de pipoca e fazer um cinema na minha casa. Fazia tempo que eu não ia ao cinema, não me lembrava de ser tão caro assim, mas, pelo momento com o meu filho, vale a pena.

Depois de comprarmos os ingressos, vamos almoçar. O Mateus, obviamente, escolhe *fast food*. Em outro momento eu pegaria no pé dele para comer comida saudável, mas, hoje, a prioridade é nos divertirmos. Eu aproveito e pego *fast food* também. De vez em quando é bom dar uma sacaneada na alimentação. Tudo bem... Ontem eu comi torresmo e batata, então hoje deveria ficar só no detox, mas as prioridades são outras: já que eu não estou tendo prazer no amor, pelo menos terei na comida.

Após o almoço, nos dirigimos ao cinema e, quando o filme começa, eu não estou entendendo muita coisa. Não é de terror. É uma continuação desses filmes de herói e, como eu não vi os anteriores, fico completamente perdida, morrendo de vontade de perguntar várias coisas para o Mateus, mas não pergunto nada porque ele pode se distrair e se irritar. Assisto ao filme inteiro fingindo que estou entendendo tudo.

– Você gostou do filme? – ele pergunta enquanto saímos.

— Claro! Só homem sarado. Aquele Thor nem precisava de superpoder, ele poderia só andar por aí sem camisa que já seria um Deus.
— A senhora vai gostar do Aquaman.
— Claro, Mateus! Desde que a gente almoce e traga a pipoca de casa para não gastar, sem nenhum problema. Podemos vir várias vezes! E, me conta, como estão as coisas na escola?
— Ah, estão indo! Acho que esse ano eu vou ficar de recuperação em duas matérias.
— Quais, filho? – pergunto bem calma, para não demonstrar a minha insatisfação.
— Português e matemática!
— Português, filho? Você quer matar a sua mãe de vergonha? Matemática até que tudo bem, porque eu também sou péssima, mas português, Mateus? Pelo amor de Deus, filho.
— É que a matéria é muito difícil, mãe. Tem umas análises lá que eu não sei fazer.
— E por que você não pediu a minha ajuda?
— Porque a senhora iria brigar comigo e talvez isso fosse mais me atrapalhar do que ajudar. Só resolvi contar porque achei que a senhora fosse me entender – ele diz isso e se senta. Eu me sento ao lado dele e ficamos em silêncio por um tempo.
— Filho, eu entendo você... Entendo que você está passando por uma fase difícil. Se você quiser, posso te ajudar, mas, se não se sentir à vontade em ter aulas comigo, posso pedir para uma amiga minha te dar aulas, você vai gostar.
— A Josi doidona? – pergunta, cabisbaixo.
— Não, eu iria chamar a Marli, mas, se você preferir a Josi doidona, eu posso chamá-la. Tenho certeza de que ela vai te ajudar.
— Tá bom, mãe, eu vou pensar sobre essa ideia e te aviso, tá bom? – diz ele com uma expressão mais aliviada.

Como o filme não era de terror, não faço questão de que o Mateus durma em casa, porque ele já virá no outro final de semana. Deixo o Mateus na casa do pai dele e vou embora para a minha, pensando sobre algumas coisas que aconteceram nesse final de semana. Chego à conclusão de que eu tenho que ser mais leve comigo mesma, com os outros, com meus alunos. Acho que sempre cobrei muito de mim e das pessoas; por isso o Mateus está com receio de ter aula com a própria mãe. Acho que, no fundo, ele pensa que as aulas comigo não podem ser leves e legais. Será que os meus alunos pensam a mesma coisa? Eu sempre me achei uma boa professora, mas será que está na hora de eu rever a minha postura?

Como de costume, chego em casa e escrevo sobre isso e como a minha relação com o Mateus está evoluindo. Se fosse há algum tempo, ele jamais me falaria que iria ficar de recuperação em português. Se ele contou é porque, aos poucos, está tendo um pouco mais de abertura em relação a mim. Apesar de todas as incertezas que eu tenho na minha vida, estar bem com o Mateus me enche de felicidade.

Como a vida é feita de outras relações também, eu dou mais uma olhada no Tinder e continuo a conversar com os pretendentes que surgiram da última vez: Pedro Henrique e Wanderson. Tem até uma mensagem do Amadeu, mas eu ignoro. Não chego a marcar nada com ninguém. Antes de dormir, na tentativa de ser uma pessoa mais leve, sem muita neurose e cobrança, mando uma mensagem para o Miguel.

"Oi! Toc toc..."

É pouco, mas já é uma evolução. Não tenho coragem de esperar a resposta, durmo antes que ela possa chegar.

9 O céu é o limite

— Jesus! Está louco? O que é isso? De novo? — Acordo assustada com o menino da mochila na minha cama de novo, mexendo nos meus diários e anotações.
— Calma! Se você tomou um susto, imagina eu que estou te vendo acordando?!
— Me dá isso aqui! Você está louco? Fica mexendo nas minhas coisas? Essas anotações são minhas, não é para você mexer! Entrar na minha casa sem bater já é demais, agora mexer nas minhas coisas ultrapassa todos os limites! — Tomo os papéis da mão dele.
— Eita, calma! Eu não preciso ler as suas anotações, eu já sei tudo o que você sente e pensa. Aliás, eu nem estava olhando, eu estava corrigindo! E, para sua informação, existem alguns erros de português aí, viu?! Mas o motivo da minha vinda aqui hoje é de paz, apesar de você aparentemente não querer.
— Eu não querer paz? Por que você está dizendo isso?
— Porque, enquanto eu estava aqui esperando você acordar, você soltou dois puns! E não foram dois puns aleatórios, você mirou em mim. Soltou na minha direção, numa tentativa dissimulada de me acertar com essas suas bombas de efeito imoral. — Ele sai correndo logo após dizer.
— Você é muito folgado! Eu nem quero mais conversar com você. Sai da minha casa, seu folgado!

— Estou na cozinha, vou preparar um café para a gente. Coloque a sua roupa e venha. Aliás, limpe-se primeiro e depois venha – grita ele de lá.

Levanto-me, olho para a janela e o tempo está bem fechado e frio. Lavo o rosto com muito sacrifício, escovo os dentes, mas não troco de roupa, e vou para a cozinha. Uma das melhores coisas quando se está de atestado é poder ficar em casa com a roupa que quiser, ainda mais às segundas-feiras. Folgar às segundas-feiras é uma coisa celestial!

Chego na cozinha e vejo que ele fez ovos mexidos e suco detox.

— Nossa, que saudável você, hein?!

— Também, depois de todo o exagero que você cometeu esse final de semana, torresmo e fast food, temos que dar uma equilibrada. Não quero que você morra. Se você morrer agora, todo o meu trabalho vai pelo cano... Aliás, é sobre isso que eu quero falar com você – diz ele enquanto me serve o suco juntamente com os ovos.

— Quer falar sobre o seu trabalho?

— Não! Sobre ir pelo cano. Você fez um cocô tão grande depois do torresmo que ele não rodou até agora. Trate de jogar um balde de água – ele fala e ri.

— Credo, que nojo! Perdi até o apetite. Quando você acerta uma, você já perde o ponto na mesma hora, impressionante!

— Então, vamos falar sério! Eu estou aqui para falar de trabalho, mas não o meu trabalho, o seu. Acho que você mesma já notou que não está sendo a melhor professora de todos os tempos, e eu compreendo muito isso. A sua profissão é muito desgastante. Eu já ajudei motoristas, advogados, bombeiros, políticos.

— Políticos? – eu o interrompo; não acho que políticos mereçam ajuda, são todos corruptos.

— Não todos! E, outra coisa, toda pessoa merece uma ajuda. Todo mundo é capaz de melhorar, mas não é sobre isso que eu quero falar, não me interrompa mais. Se quiser falar alguma coisa, erga a mão, igual você faz com seus alunos. Como eu ia dizendo, acho que a sua profissão é a mais desgastante de todas que eu já atendi. Você é uma das pessoas mais estressadas e loucas! Estou brincando, não te acho tão estressada assim. Eu sei que você sabe que há algum tempo não tem conseguido se motivar para dar aulas e tem feito apenas o básico, cumprido o seu papel na medida do possível. Eu sei que existem vários fatores que corroboram para isso: o salário baixo, a falta de apoio dos pais, a desvalorização... mas você não pode deixar o seu potencial morrer. Francis, eu vou te dizer: você nasceu para isso. Você é inteligente, engraçada e criativa, mas está deixando tudo isso morrer e apagar em virtude das dificuldades. E, enquanto você deixa essas coisas se apagarem, você também está morrendo aos poucos.

— Mas falar é... — Quando eu vou continuar, ele me interrompe.

— Cadê a mão levantada?

Levanto a mão e fico esperando que ele me autorize a falar.

— Espera o Bruno perguntar primeiro, depois você fala.

Fico olhando para ele, ainda com o braço levantado.

— Ok, pode falar, Francislena!

— Posso ir ao banheiro?

— O quê? — pergunta ele.

— Está vendo? É isso que eu passo. Você explica, explica e explica de novo, e, na hora em que pergunta se alguém tem alguma dúvida, eles perguntam: "Posso ir ao banheiro? É para copiar? Vai cair na prova?". Só quem está na sala de aula sabe o que realmente um professor passa. Na teoria, tudo é lindo, mas a realidade é outra, bebê. Eu já assisti a várias palestras motivacionais, já li livros de autoajuda, mas o buraco é mais embaixo. Então não venha me dizer como eu tenho que cuidar dos meus alunos, porque eu já tenho experiência suficiente em sala de aula para saber o que fazer com eles. – Levanto-me da mesa do café e vou em direção à sala.

Ele vem atrás de mim e segura a minha mão:
– Eu entendo você, Francis, entendo de verdade, mas a shimbila do shuantz não é shuzaine.
– O quê?
– Prrlll! – Ele faz um som de peido com a boca, mostrando a língua, igual as crianças fazem, e fica rindo sem parar.
– Tá vendo? Não dá pra falar sério com você, sabe por quê? Porque você não tem argumentos depois das coisas que eu te falei.
– Desculpa! Foi mais forte do que eu. Vou te dar uns bons argumentos, então escute com atenção. Primeiro, derrube esse orgulho bobo porque ontem mesmo, depois da conversa que você teve com o Mateus, você estava questionando a sua postura como mãe e como professora. Outra coisa, não estou falando que você é uma professora ruim. Eu só acho que você perdeu um pouco da essência. Você não se diverte mais com os alunos, antigamente encarava as coisas com mais leveza, você ria com eles. Sim, você se estressava, mas, ao mesmo tempo, conseguia se beneficiar com a aula também. Quem disse que na aula somente os alunos têm que aprender alguma coisa? Quem disse que você não pode aprender com eles também? Não estou falando de conteúdo específico e didático, estou falando de vida. Você está lá, doando sua vida por eles, mas eles também estão doando aquele momento da vida para você. Nessa relação de troca, você pode aprender alguma coisa também, pode ser através de um sorriso, de um abraço, de um choro... Fique mais atenta às crianças, se permita sentir mais. De um tempo para cá, você ficou muito engessada, ríspida; não só com eles, mas principalmente com você mesma. Francis, repito: você nasceu para isso. Se você não está sendo

feliz nessa profissão, é porque existe alguma coisa errada. Não estou falando do salário, ou da falta de armário, ou ainda do seu lanche que a Carmem comeu na sala dos professores. Estou falando de missão, porque eu sei que, lá no fundo, mesmo que você não tivesse nenhum benefício, ainda seria professora, porque a maior recompensa que você recebe é fazer a diferença na vida daquelas crianças. Elas precisam de você e você precisa delas...

Antes que ele continue, eu o interrompo sem erguer a mão.

– Menino, isso é muito bonito, mas a impressão que eu tenho é a de que não estou fazendo a diferença na vida de ninguém. Parece que eu falo, falo, falo e ninguém me escuta. Na verdade, eu estou cansada de dar murro em ponta de faca. Acho que deveria ter feito administração e mexer com planilha. Às vezes morro de inveja de quem fica na frente do computador sem fazer nada. – Tenho lágrimas nos olhos, porque eu realmente estou me sentindo assim.

– Francis, eu não achei que fosse precisar fazer o que eu vou fazer, mas vamos lá. – Ele pega um tablet na mochila e me mostra uma foto de um rapaz. – Conhece esse rapaz?

– Eu não! Nunca vi, é do Tinder?

– E essa criança, você conhece? – pergunta ele, me mostrando uma outra foto.

– Esse eu conheço, é o André Ricardo. Foi meu aluno de alfabetização e português. Meu Deus, ele era terrível, não aprendia nada. Lembro um dia em que fiquei até mais tarde com ele tentando ensinar a diferença entre "mas" e "mais". Eu me recordo de que ele desenhava muito bem, devo até ter um desenho dele aqui em casa.

– Então, o André é esse rapaz! Também tem um desenho seu até hoje, de uma atividade que você pediu pra ele. Você criou a semana do livro, onde cada aluno tinha que escrever uma história. Diante da dificuldade de escrita e da facilidade de desenho dele, você o elegeu como o ilustrador oficial da sala, porque sabia que, para ilustrar, ele teria que ler todos os livros produzidos. A criança que mais leu naquela semana foi o André. Justo ele, que não escreveu nenhum, foi o que mais leu, porque ele precisava ilustrar com a imagem correta. Depois você fez uma miniexposição com os livros. Você não sabe, mas o André chegava em casa e contava para a mãe dele que era o ilustrador da sala, que iria ter uma exposição dos livros dele na escola. A mãe, que nunca ia à escola, foi naquela semana para ver a exposição. Aquela atividade mudou a vida do André, mas você não tem a proporção disso, porque talvez aquela atividade tivesse sido só mais uma. Mas, se ela não tivesse existido, a vida do André seria outra. Às vezes, nós só notamos que uma coisa é importante quando analisamos a partir da ausência dela. Você está passando por isso com o Mateus.

Começo a chorar e pergunto:

– Como você sabe que essa atividade fez tanta diferença na vida do André?

– Porque hoje o André trabalha como ilustrador de livros infantis e dá aulas de desenho em uma comunidade carente. Eu não sei se ele tem o diploma da escola, mas os livros que ele ilustrou para a exposição ficam na mesa do trabalho dele. Ele olha para aqueles livros todos os dias. E depois daquela atividade, ele nunca mais confundiu "mas" com "mais". Assim como o André, existem vários outros que tiveram a vida transformada por causa da escola. Estou te contando isso, Francis, para que você resgate um pouco a sua alegria de lecionar. Deixe a sua criatividade aflorar de novo, saia da casinha, se divirta com eles. Você está ficando cada vez mais quadrada, essa não é você! O Mateus está conhecendo a Francis de verdade: uma pessoa criativa, descolada, pra cima. Deixe as crianças conhecerem essa Francis também. E, outra coisa, preste mais atenção neles. Tem alunos lá que, mais do que uma correção ou um xingamento, precisam de um sorriso e um abraço, porque eles infelizmente talvez não recebam isso em casa. Eu sei que isso não é obrigação sua, mas sei que você é feliz abraçando e amando as crianças. A maior beneficiada com essa relação de amor é você, Francis. Os alunos precisam de você, mas você também precisa deles.

Eu olho para a foto do André e só choro. De repente, o menino da mochila azul vem e me abraça de novo. Fico ali um tempo, chorando e pensando em tantos alunos que passaram pela minha vida. Pela primeira vez eu quero juntar todos ao mesmo tempo e reencontrá-los para saber como estão. Ficamos abraçados, choro horrores, e o menino segura o meu rosto e me olha, dizendo bem baixinho:

— Se o André Conshivai cho não xexim?
— O quê?
— Prrlll! — Ele faz um som de peido com a boca de novo e começa a rir. — Desculpa, foi mais forte que eu! — Depois disso, sai correndo e desaparece.

Em vez de xingá-lo, eu começo a rir sem parar. De alguma forma, tudo que ele falou mexeu comigo. Às vezes não temos ideia de como as nossas ações interferem na vida dos alunos, tanto para o bem quanto para o mal. Muitas vezes, até sabemos dessa proporção, mas, com o passar do tempo, vamos esquecendo do quão importante nós somos. Infelizmente, para alguns a única referência de afeto somos nós, as professoras. Aquele papo acende em mim uma nostalgia tremenda. Pego uns livros, cadernos e anotações antigas e começo a rever. Fico impressionada com a quantidade de coisas que eu inventava e criava: jogos, brincadeiras, quizzes; eu era bem mais doida. Foram atividades que eu parei de fazer e que têm um grande potencial pedagógico. Decido que vou retomar algumas das antigas e tentar criar alguma coisa nova.

Olho para o celular e o Miguel não me respondeu; aliás, ele nem visualizou a mensagem. Já que a minha vida amorosa está em constante decadência, decido focar esse último dia de atestado no trabalho. Vou à papelaria e compro várias coisas: EVA, TNT, cartolina, lousas mágicas... Preparo vários jogos para fazer com eles: forca, soletrar e gincanas... Compro até uma peruca para fazer o papel de apresentadora. No meio do caos e da bagunça pedagógica, surge o menino com uma pistola de cola quente:

— Atenção! Isso é um assalto, passe tudo que você tem! Ah, você é professora?! Então pode ficar com as suas coisas, porque você não tem nada de valor!

— Menino, se não for ajudar, não atrapalha. Eu fui seguir os seus conselhos e já estou arrependida. Olha só o tanto de trabalho que eu fui arrumar!

— Por isso que eu apareci. Eu vim ajudar você, bebê. — Ele pega a tesoura e uns EVAs para cortar.

Ficamos horas trabalhando e conversando; ele tirando sarro de mim, eu tirando sarro dele. Nos pintamos de guache e glitter. Ao acabarmos os trabalhos, eu pareço Patati Patatá misturados com a Globeleza. Quando eu estou juntando as coisas, a campainha toca. Eu espero um pouco para ver se tocará novamente e, para minha "sorte", ela volta a tocar. Como não vai dar tempo de me limpar, vou atender toda trabalhada no guache e no glitter. Quando abro a porta, vejo o meu vizinho, só de bermuda e sem camisa, segurando uma sacola. Ele tenta disfarçar, mas faz uma cara de estranheza.

— Olá! Tudo bem? Estou testando umas maquiagens novas — é o máximo que eu consigo dizer.

— Tudo bem, sim! Então, eu ia chamar você para a gente *irmos* comer alguma coisa, mas acho que você está um pouco enfeitada. Quer dizer, ocupada.

— É, eu realmente estou um pouco ocupada. Vamos ter que agendar um outro dia — eu digo totalmente sem graça.

— Então pode ficar com você. Trouxe uma porção de torresmo porque eu sei que você gosta. — Ele me entrega a sacola que estava em sua mão.

— Ah, obrigada, não precisava! Marcamos algum dia para jantar, então. Obrigada pela surpresa.

— De nada! — Depois de dizer isso, ele volta a piscar. Que raiva eu tenho dessas piscadas broxantes. Ele se vira e anda em direção ao apartamento dele, mas, antes que entre pela porta, eu comento:

— Só pra você saber, vou usar essas maquiagens no meu dia a dia. Eu adorei, espero que você também tenha gostado.

Entro e, antes de voltar a arrumar a bagunça, abro uma cervejinha. Quando vou começar a me acabar na gordura e na cevada, a campainha toca de novo. Meu Deus, quanta insistência! Meu vizinho não desiste... Só de raiva, vou até o quarto da bagunça e lambuzo a cara de guache azul antes de atender à porta. Quando a abro, encontro as gurias da escola. O seu Dirceu obviamente tinha deixado elas subirem direto, sem anunciar. Elas ficam me olhando e rindo sem parar. A Josi chega a deitar no chão de tanto rir:

— Se o médico tinha alguma dúvida sobre você estar louca, agora não resta mais nenhuma. Realmente, você não está normal!

— Eu tenho Rivotril na bolsa aqui, você quer? — pergunta a Mari.

Eu fico olhando para elas, tentando ficar séria e demonstrar desaprovação pela infantilidade, mas aí a Josi continua:

— Nunca imaginei que eu fosse ver um Avatar na minha frente. Se bem que, pelo seu tamanho, você está mais para os Smurfs! Quem é a nossa Smurfete pedagógica? — Depois que ela diz isso, eu não aguento e começo a rir.

– Minha tia estava dessa cor também. Três dias depois, ela morreu – diz a Marli, se acabando de rir.
– Até você, Marli? Me respeitem. Entrem logo, pelo amor de Deus! – Eu mesma vou entrando.
– O papai Smurf está aí? – pergunta a Josi, sem conseguir parar de dar risada.
– O que aconteceu? Estourou uma caneta Bic na cara? – pergunta a Mari.
– Entrem logo, que eu conto pra vocês. – Vou encostando a porta após elas entrarem.

Nos sentamos na cozinha e elas não conseguem parar de rir, ficam me olhando e rindo. Riem ainda mais quando percebem que eu estou jantando torresmo toda pintada de azul.

– Antes que vocês fiquem roucas de tanto rir, eu vou falar pra vocês o que aconteceu. Eu estava em casa trabalhando junto com o menino de mochila azul...

– Aí você colocou a mochila e ela soltou tinta em você? – Josi me interrompe.

– Besta, eu estava trabalhando com guache e EVA, e o menino começou a me pintar e eu o pintei também. De repente, a campainha tocou e eu fui atender. Para minha alegria, era o vizinho sem noção me chamando pra comer torresmo junto com ele! Mas, quando me viu toda colorida e brilhando, desistiu. Aí a campainha tocou de novo e eu achei que fosse ele, fui no quarto e pintei a minha cara de azul pra sacanear, mas, para minha surpresa, eram vocês. É só isso, uma coisa que está sujeita a acontecer com qualquer pessoa.

– Qualquer pessoa *esquilofrênica*, você quer dizer, né?! – a Josi tira sarro da minha cara.

– Enfim, viemos aqui para saber como você está. Faz tempo que não nos falamos, estávamos preocupadas. Aí chegamos aqui

e vemos você toda de azul, o que nos faz perceber que precisamos realmente nos preocupar – diz a Marli.
– Sentem-se, tem torresmo, sirvam-se. Então, eu estou bem. Tirando a vida amorosa, que está um caos, e a vida financeira, que nunca esteve bem, o resto está se encaminhando maravilhosamente bem. Minha relação com o Mateus está ótima. Ontem fomos ao shopping. Além disso, esses dias serviram para eu pensar sobre a minha vida profissional e eu vi que preciso melhorar em muitos pontos, inclusive passei a tarde inteira trabalhando numas atividades novas. – Enquanto eu explico, vou arrumando a mesa e colocando mais algumas comidas.
– E o menino? Sumiu o capiro*coach* espiritual? – pergunta a Mari.
– Não, eu disse! Ele estava aqui até agora, me ajudando a cortar EVA e fazer as atividades.
– Nossa! O espírito te ajudou a cortar EVA? Se ele tiver um amiguinho ocioso, pode mandar lá em casa para me ajudar! – diz a Josi.
– Deus me livre! Eu não gosto de mexer com essas coisas. Vai que o espírito fica com raiva por você ter explorado o trabalho dele? Só de falar nesse assunto, eu já me arrepio toda! Agora, sempre que eu vejo uma criança de mochila azul, as minhas pernas ficam bambas na hora – conta a Mari, se atracando na comida.
– Então sua perna deve estar bamba agora, porque ele está sentado no seu colo – eu digo para assustá-la.
– Nossa senhora dos EVAs, rogai por nós. Está amarrado e colado com cola quente! – Ela dá um pulo da cadeira e acaba derrubando todo o suco nela.
– É brincadeira, ele não está aqui, não! Estou brincando, eu falei isso só pra assustar você.
– Ah, guria, ficamos felizes por você estar bem! Estávamos morrendo de saudade! Sua vida amorosa sempre foi um caos,

então está tudo normal mesmo! Inclusive, a diretora Carmem está morrendo de saudade de você. Nós até fizemos uma surpresa pra você. – A Josi diz isso, vai até a porta da sala, abre a porta e fala: – Entra, Carmem, a Francis está aqui toda de azul pra te receber.

Meu coração chega a gelar, eu fico olhando para a cara das meninas, e elas começam a rir sem parar.

– Viu só como é gostoso enganar as pessoas? Parece que o jogo virou! – diz a Mari.

– Nossa! Imagina a Carmem entrando em casa? Meu apartamento é tão pequeno que, se um dia ela vier aqui, para ela poder entrar eu tenho que sair... Ops, acho que peguei um pouco pesado com a Carmem. Quer dizer, falar "pegar pesado" em relação à Carmem eu acho que é um pleonasmo!

– Eu até que gosto dela! – diz a Marli.

– De quem você não gosta, Marli? A Carmem não é má pessoa, mas, quando ela pega birra, só Jesus na causa! Eu preferia a nossa antiga diretora, ela era mais parceira, colocava a mão na massa... – Antes que eu possa concluir meu raciocínio, a Josi se intromete:

– Agora a Carmem, se vir uma massa, em vez de pôr a mão, ela coloca molho e come.

Ficamos conversando e rindo por mais um tempo. Não muito, porque professora, sabendo que tem que acordar cedo no outro dia, não consegue ir dormir muito tarde. Acabo nem contando para elas que mandei uma mensagem para o Miguel, porque elas iriam me infernizar a cabeça.

Depois que elas vão embora, junto a bagunça que fiz e coloquei junto com a outra bagunça que já estava lá; afinal, aquele quarto tem tanta coisa que é o quarto da bagunça eterna.

Tomo meu banho, relaxo, dou uma olhada no celular e nada do Miguel me responder. Ele nem visualizou a mensagem, será que ele me bloqueou?

Como de costume, pego meu diário e minhas anotações e escrevo sobre tudo que aconteceu naquele dia, tanto sobre as minhas expectativas quanto os novos desafios que eu vou me impor como professora. Mas, enquanto escrevo, durmo.

Para variar, acordo com muita dificuldade, aos quarenta e cinco do segundo tempo. Me arrumo rapidamente, junto os materiais e vou voando para a escola. Estou na sala dos professores, colocando a fofoca em dia com as meninas, quando, de repente, escuto uma voz:

— Olha, olha... Apareceu a Margarida!

Quando eu me viro, dou com a diretora Carmem me dando as boas-vindas da maneira dela.

— Olá, Carmem, tudo bem? Eu estou bem também! — respondo juntando as minhas coisas para entrar em sala.

— Está tudo ótimo! Queria dizer que estamos organizando umas apresentações culturais na escola e a sua sala vai se apresentar na sexta-feira. Você tem que montar uma apresentação cultural com eles.

— Sexta-feira? Mas qual sexta?

— Esta sexta! Está longe ainda. Você tem quase quatro dias para poder ensaiar — ela fala e some.

— Gente, como assim?! Como eu vou montar uma apresentação com os alunos até sexta?! O que eu vou fazer? E não tem tema? É uma apresentação livre? Eu vou colocá-los dentro de uma redoma e vou falar que a apresentação se chama globo da morte. — Termino de juntar as minhas coisas e vou correndo para a sala. Na metade do caminho, eu escuto:

— A professora *Francistein* voltou, corre! Entra na sala, senão ela vai brigar com a gente!

Não consigo distinguir quem falou, mas vejo que foi alguém da minha sala. Espero todos os capirotinhos entrarem e pergunto:
— Quem foi que me chamou de "Francistein"? Estão achando que eu pareço o Frankenstein? Quem foi que inventou esse apelido?

Ninguém diz nada, então eu decido usar as famosas chantagens pedagógicas; elas sempre funcionam.

— Se ninguém falar nada, ninguém vai sair da sala e todo mundo vai ficar sem ir ao banheiro! Eu sei que não são todos que precisam ouvir isso e não é justo todos pagarem pela culpa, então, se você sabe quem foi, pode falar quem fez isso! Enquanto ninguém se pronunciar, nós vamos ficar aqui, trancados e em silêncio.

Depois que você fala isso, é só fazer cara de mau e ficar olhando para eles. Sempre funciona! Dito e feito. Pouco tempo depois, o Pedro Henrique, que, como você sabe, é o pior da sala, levanta a mão e diz:

— Fui eu que inventei, professora!
— Foi você, Pedro? Você que me chamou de Francistein? Você acha que eu pareço o Frankenstein? Se você acha que eu pareço o Frankenstein na escola, é porque você não me viu acordando! Olha, gente, eu sou contra apelidos, mas confesso que esse foi criativo! Agora, como punição, você vai ter que usar a sua criatividade para o bem! Nós vamos ter que fazer uma apresentação cultural na sexta-feira e você será o responsável por decidir o que a turma vai fazer. Pode ser dança, teatro, música, o que vocês quiserem. Vocês têm meia hora para me trazer o que será feito.

Já diz o ditado: "se você não pode vencer o seu inimigo, junte-se a ele". Às vezes, manter o pior aluno por perto é a melhor estratégia, e, por incrível que pareça, funciona. Ele reúne os amigos e, pouco tempo depois, me traz a proposta: uma sátira de um programa de televisão, onde haverá várias atrações, como música, dança, mágica etc. Os próprios alunos começam a se organizar em grupos. "Organizar". Essa palavra é bem relativa, porque, na verdade, eles fazem uma bagunça para se juntar, arrastam mesas, cadeiras, esbarram uns nos outros, fazem um som ensurdecedor, e a professora tem que ficar regendo a orquestra de bagunça: "Fulano, levanta a cadeira! Beltrano, deixa Fulano passar! Sicrano, vá para o seu grupo! Pessoal, eu já disse, levanta a cadeira, não precisa arrastar, até parece que vocês não têm braço!"

Depois de muito sacrifício, gritaria e oração, conseguimos organizar as equipes. Percebo que todos os alunos estão trabalhando com bastante afinco e faz tempo que eu não os vejo trabalhar desse jeito. Mas, quando reparo, um aluno chamado Heitor está sem grupo. Ele é todo franzino e está escondidinho no canto. Então pergunto ao Pedro Henrique:

— Pedro, por que o Heitor não está em nenhum grupo?

— Porque nenhum grupo quer ele, professora! Ele não faz nada!

— Às vezes é melhor ele, que não faz nada, do que você, que não para quieto. Não é mesmo, Pedro Henrique?

Lembro-me dos conselhos dados a mim pelo menino da mochila azul. Vou até o Heitor, que está com os braços cruzados em cima da mesa e a cabeça debruçada em cima deles, sento-me ao seu lado, toco as suas costas e falo:

— Toc-toc! Tem alguém aí?

Ele não esboça nenhuma reação. Continua lá, deitado. Aluno apático costuma ser tão trabalhoso quanto o hiperativo. Outrora eu o teria abandonado ali e voltaria para as minhas atividades, mas, seguindo os conselhos do menino da mochila azul, eu insisto.

— Heitor, levanta a cabeça, olha aqui para a profe…

Nada! Ele continua cabisbaixo. Espero mais um pouco e digo:

— Credo! Que coisa é essa na sua cabeça, Pedro Henrique? Está brilhando!

Nesse momento, não conseguindo conter a curiosidade, Heitor levanta a cabeça. Aproveito a oportunidade:

— Aham, olha ele aí! Não resistiu, não é mesmo?! Seu curioso! Agora me diga, por que você não está em nenhum grupo?

— Porque eu não quero!

— Não quer mesmo? Ou ficou triste porque ninguém te chamou para nenhum grupo?

— Eu não quero! – ele responde e volta a baixar a cabeça.

Eu decido não o importunar mais, porém, antes de sair do seu lado, percebo que seu caderno está caído sobre a mochila no chão, encostada na mesa. Sem que ele perceba, pego o caderno e dou uma espiada. Na verdade, eu nem reparava muito no Heitor; às vezes, até esquecia que ele era meu aluno.

Noto que ele é um aluno com grandes dificuldades na disciplina de matemática; contudo, em português e nas outras disciplinas, ele realiza todas as atividades sem grandes problemas. Como eu não reparei nisso antes? A curiosidade fala mais alto e leio algumas anotações, aquelas que eu solicito que eles escrevam no final das aulas. Como eu já imaginava, não há muita coisa escrita. Enquanto os outros alunos realizam o trabalho, decido ver o que há ali. Eu sei que isso não é ético, pois estou lendo sem a autorização dele, mas quero entender o que se passa dentro daquela cabecinha.

Apesar da pequena produção textual, os textos do Heitor são incríveis! Tenho que conter o choro para não desabar na sala. Descubro ali que, neste ano, ele perdeu o pai para o tráfico; a mãe pouco ligava para ele e quem assumiu a responsabilidade pelo garoto foi a avó, a quem ele, carinhosamente, classifica de "rainha".

Ele está muito à frente das outras crianças em relação à criatividade textual e com certeza poderia ser um poeta ou escritor. Tem um grande potencial para isso, mas, ao mesmo tempo, corre grande risco de ter toda a vocação roubada pelas frustrações e obstáculos da vida.

Leio os textos do Heitor e nem vejo o tempo passar. Quando me dou conta, a aula já está acabando. Sem que ele perceba, coloco seu caderno em cima da mochila novamente. Uma mochila que nem parece mochila: está toda surrada e rasgada. Penso até em comprar uma nova para ele.

Como de costume, antes de encerrar a aula, peço que a turma organize a sala e aviso que ninguém sairá enquanto ela não estiver arrumada. Depois de tudo pronto, assim como nos outros dias, dou um tempo para que eles escrevam sobre o que quiserem. O sinal toca e, antes que eles saiam correndo em modo possessão, dou o seguinte recado:

— Amanhã continuamos o trabalho e vamos começar os ensaios. Escolham um líder para as suas equipes. Mal termino de falar e eles saem correndo, desesperadamente. Quem olha de fora e vê essa correria, acha que a sala está pegando fogo. Arrumo minhas coisas e caminho para a sala dos professores; durante o percurso, penso nas coisas que eu li no caderno do Heitor e o que eu poderia fazer para ajudá-lo. Não posso falhar com ele, assim como eu falhei com outros alunos e com o Mateus – já que, talvez, se eu tivesse sido mais atenciosa e empática, a minha relação com meu filho fosse outra. Acho que o meu pensamento está muito forte, porque, justamente neste momento, chega uma mensagem dele:

"Mãe, eu pensei bastante e prefiro ter aula com você do que com a sua amiga. Podemos estudar no final de semana?"

Essa mensagem é um bálsamo revigorante para minha alma, nem estou acreditando. O Mateus querendo estudar comigo? Acho que essa é a chance de me redimir como mãe e professora dele. Estou tão feliz que até dou o chocolate que ganhei de um aluno para a diretora Carmem. Com certeza ela não vai comer, achando que é macumba – eu acho que também não comeria um chocolate dado por ela, até porque sei que ela não me daria.

Ainda é terça-feira e só vou ver o Mateus no sábado, então decido que durante a semana vou focar apenas na apresentação dos alunos. Nós vamos dar um show na sexta-feira! Estou em casa, à noite, pensando em como aproximar o Heitor da turma e em como criar uma estratégia de ensino eficaz para o aprendizado do Mateus – voltar a dar aula para o meu filho é um desafio para mim, eu estou com a cabeça a mil. Para dar uma espairecida, resolvo entrar um pouco no Tinder. Tem várias mensagens dos crushes lá e a conversa com Pedro Henrique estava fluindo bastante até ele me perguntar:

"Já mandou nudes?"

Não sei se respondo "já" para parecer descolada, mas correndo o risco de ele me pedir um, ou se sou sincera e respondo: "Não, eu nunca mandei um e nem sei de qual ângulo que eu bateria essa foto, se pego do queixo da Dirce para cima, ou mostro ela de cima para baixo". Então eu respondo estrategicamente:

"Talvez!" "Talvez é interessante, e receber, você já recebeu?"

Estou sentindo que vai vir foto de rola por aí. Eu nunca recebi. Quando eu flertava, não tínhamos o hábito de enviar nudes; aliás, nem tínhamos tecnologia para isso. Caso alguém quisesse que eu visse a foto da sua rola, tinha que salvar a foto num disquete e me entregar, ou então tirar uma foto, revelar e me mandar via correio. Mas, para parecer descolada, eu respondo:

"Diria que já vi de quase todos os modelos!"

"Quer ver mais um?"

Eu estou confusa, mas não seria nada mau ver um peru numa terça à noite; isso não vai me excitar, mas pelo menos pode me entreter um pouco. Quando vou escrever "sim", ouço a bendita voz atrás de mim:

— Não! — É o menino me espiando novamente, sentado no encosto do sofá, e ele continua: — Não! Você não vai aceitar isso! Só para deixar bem claro, Deus não aprova nudes! Aquelas correntes de Whats, Deus já não gosta muito... Quanto mais um nudes! Eu mesmo já recebi no Whats um suposto pedido de oração. Quando eu abri, era um negão com um órgão enorme. Esse tipo de coisa não é saudável! Não aceite!

— Você não manda em mim. Eu fiquei curiosa, eu vou aceitar, sim!

Diante da minha demora em responder, o Pedro Henrique me manda: "???".

"Desculpa a demora, estava limpando a memória do celular para poder caber a sua foto", respondo isso já botando uma pressão.

Segundos depois, recebo uma foto e, quando eu abro, é um peru, um peru! Acredita?! Um peru bem na minha cara! Na verdade, eu quero rir. É engraçado ficar olhando para um peru avulso.

— Fake! — diz o menino olhando para a foto.

— Você acabou de dizer que não era para eu aceitar, agora está manjando o peru do rapaz?!

— Não estou manjando, estou vistoriando! E, se você for esperta, vai reparar que ele tirou de baixo para cima para dar uma valorizada na noção de grandeza. — Aponta para a foto.

— Olha ele! Para quem não queria a foto, está bem entretido. Como você sabe disso?

— Minha missão aqui é proteger e alertar você, só estou fazendo meu papel. Se fosse a foto de um sapato em liquidação, estaria falando para não cair em tentação, da mesma forma que estou falando para não encarar esse peru.

"O que achou?", envia o Pedro Henrique.

— Ele me perguntou o que eu achei. O que eu respondo? — pergunto para o menino.

— Diga que achou fofo! Isso vai dar um tom de inocência à conversa e vai deixá-lo bem constrangido. Um peru fofo perde toda a virilidade, vai ser engraçado. — O menino dá risada.

Como eu não presto e gosto de um bom riso, eu respondo para o Pedro:

"Achei bem fofo e simpático!"

"Fofo? Você acha meu pinto fofo?"

"Ele parece ser um peru educado e prestativo, com um bom coração. Eu tento olhar além das aparências e enxergar as coisas de dentro para fora", escrevo e leio em voz alta. O menino da mochila azul ouve e rola no chão de tanto rir.

Depois disso, o Pedro Henrique não me responde mais, e nós não paramos de dar risada. Fico mais um tempo mexendo no Tinder, mas não tem nenhuma conversa relevante ou algum outro peru em pauta. Depois que eu fecho o aplicativo, eu e o menino começamos a conversar sobre outras coisas. Contei para ele que o Mateus vai ter aula particular comigo, falo que os alunos estão empolgados com a apresentação e falo do Heitor também, sobre eu não estar sabendo lidar com essa situação por ele ser uma criança aparentemente incrível, mas que fica sozinha e apática na sala.

— Traga ele para perto de você. Assim que ganhar a confiança dele, ele vai se soltar. A apresentação vai ser sobre o quê? — me pergunta ele enquanto caminhamos para o quarto. Eu já estou morrendo de sono.

— O trabalho vai ser uma sátira de programa de televisão com várias atrações. Cada equipe vai apresentar uma.

— E você vai fazer o que na apresentação? — ele me pergunta.

— Eu não vou fazer nada, eu vou coordenar a apresentação, mas não vou participar — explico enquanto programo o despertador.

— Então, acho que seria legal você participar e trazer o menino com você para a apresentação.
— Mas como eu faria isso? — pergunto com os olhos piscando de tanto sono.
— Aí é com você! Sei que você vai pensar em alguma coisa. Tchau!
Eu mal fechei os olhos e já tenho que abri-los. Quando pego o celular para desligar o despertador, a foto que está como proteção de tela é o peru do Pedro Henrique — com certeza o menino fez isso para me sacanear. Não resisto e começo a rir sozinha. Me arrumo rapidamente, como de costume, e vou para a escola. No caminho fico pensando em uma forma de aproximar o Heitor de mim e dos amigos.

Diferentemente das outras vezes, quando chego à sala, o Pedro Henrique já está lá dentro. Geralmente eu tenho que ficar gritando seu nome para ele poder entrar. Aproveito que ele está colaborando e lhe dou uma missão:

— Pedro, preciso da sua ajuda. Chame seus amigos e coloque-os para dentro da sala, por favor.

Dito e feito. Os outros alunos respeitam o Pedro; quer dizer, a maioria tem medo dele. Depois que estão todos sentados, eu informo a novidade para a turma:

— Sexta-feira nós vamos fazer uma paródia do Show da Xuxa! Senta, Gabriel! Eu estou falando! Enquanto o Gabriel não sentar, nós não vamos continuar!

— Senta, Gabriel! — grita o Pedro.

O Gabriel senta, mas a Júlia levanta.

— Senta, Júlia! Vocês estão com fogo? Todo mundo sentado agora! — Dou uns tapas na mesa para marcar um pouco o território.

— Eu posso ser a Xuxa? — pergunta a Isabela.

177

— Não! Eu serei a Xuxa e, como o Heitor não está em nenhuma equipe, ele será o meu assistente de palco. Tudo bem, Heitor? Você será a minha Paquita, Isabela.

Heitor fica me olhando, olha para a turma e não responde nada.

— Nossa, esse assistente não vai te *assistenciar* em nada! — fala bem alto o Pedro Henrique, e a turma toda ri.

— Não é "assistenciar". Você sabe o termo correto, meu assistente? — pergunto para o Heitor.

— Assistir — responde ele, bem baixinho.

— Que burro! Quem vai assistir são os pais e os outros alunos, não a gente! — Outra piadinha feita pelo Pedro.

— Então o burro é mais inteligente que você, porque está certo, Pedro. Assistir também pode ser usado no sentido de dar assistência. Agora que vocês sabem da novidade, juntem-se às suas equipes e retomem o trabalho. Depois do intervalo, nós vamos começar os ensaios e, enquanto vocês montam as apresentações, eu vou definir as coisas com o meu assistente.

Sento-me ao lado do Heitor, faço a mão fechada — simbolizando um soco — e fico com ela parada para que ele bata. Ele toca nela e sorri.

— Então, tudo certo para você ser o meu assistente?

— Aham — é o máximo que ele consegue dizer, mas sem dúvida nenhuma é um progresso.

Me levanto e vou até a frente da sala, dizendo em voz alta:

— Quero que todos passem ao meu assistente seus nomes e os respectivos grupos, porque ele vai fazer um crachá personalizado para todos nós.

Ao longo da aula, vários alunos vão até a mesa do Heitor para passar o nome. É muito bom ver a sala inteira interagindo com ele. Outro que surpreende é o Pedro Henrique, que bota ordem na sala: do jeito dele, meio agressivo, sem nenhuma pedagogia, mas está funcionando.

A apresentação está indo de vento em popa. Aproveito o horário de almoço para ir atrás da minha fantasia de Xuxa. Estou realizando meu sonho de infância de fazer parte do time dela, mas, em vez de ser uma Paquita, eu serei a própria Xuxa! Estou até emocionada! Em razão do custo, compro apenas uma peruca bem barata, e o restante da fantasia decido fazer de TNT e EVA – com EVA e uma cola quente, nós conseguimos fazer qualquer coisa! O céu é o limite!

Faltam apenas dois dias para a apresentação. Está tudo uma loucura, ensaio atrás de ensaio. Mas, veja, não é um ensaio organizado, tipo o Cirque du Soleil, parece que soltaram os alunos na vinte e cinco de março: é uma bagunça generalizada, que você tenta transformar em uma bagunça organizada. Ao mesmo tempo que devo ensaiá-los, tenho que montar a minha fantasia e ainda ajudar os outros alunos com os figurinos e adereços. Porém, é muito legal ver o comprometimento de todos.

Delego o Heitor como meu ajudante com a sequência das apresentações. Combinamos que, na sexta-feira, todos chegarão mais cedo para podermos passar a apresentação como se estivesse valendo. Para que não haja problema, faço um bilhete e encaminho para todos os pais dentro do caderno dos alunos, explicando o projeto da escola e a finalidade de todos chegarem um pouco mais cedo.

A quarta e a quinta passam voando. Quando percebi já é quinta-feira à noite. Eu estou exausta, porém com uma sensação de missão cumprida. Eu ainda não terminei totalmente a minha fantasia. Faltam vários pompons de papel crepom, então combinei com a Josi de ela dormir na minha casa pra me ajudar com as últimas preparações para o evento.

Ficamos trabalhando e rindo a noite inteira, até que, finalmente, conseguimos finalizar os materiais. A Josi me empresta um par de botas brancas, que dá um charme total ao figurino. Resolvo experimentar a fantasia por completo e peço que ela fique na sala, porque eu vou fazer uma prévia da apresentação para ela. Me escondo no quarto, ligo o som bem alto, coloco a fantasia, pego o controle da televisão para fingir que é um microfone e saio ao som de "Lua de Cristal", fazendo uma performance de "Xuxa só para Capirotinhos". Quando eu cheguei à sala, além dela, o menino da mochila está sentado no sofá esperando a minha performance. Me dedico: danço, canto, me abaixo, e depois que eu acabo:

– Me tira uma dúvida... A intenção é parecer a Xuxa ou a Hebe? – me pergunta a Josi, como sempre rindo muito da minha cara.

– Josi, está muito feio?

– Está melhor do que sem a fantasia – diz o menino.

– Cala a boca, você! – Taco o controle na direção dele.

– O que é isso?! – pergunta a Josi, assustada.

– O menino da mochila está aqui e disse que eu fico melhor com a fantasia do quem sem ela.

– Olha, vamos considerar que ele tem uma certa razão. Pelo menos com a bota você ganha alguns centímetros a mais, fala para ele que eu concordo.

– Josi, você não consegue escutá-lo, mas ele consegue te escutar... Pode falar diretamente para ele.

Ela se levanta e fica andando lentamente em círculos, com os braços em movimento como se estivesse tateando o ar ou andando na lua, olhando para todos os lados e falando pausadamente em voz alta:

– Menino, eu concordo muito com você, quero que saiba que eu estou com você onde quer que você esteja.

— Fala para ela que eu não sou surdo nem autista. Ela não precisa falar pausadamente comigo — diz o menino, dando risada da cara da Josi.

— Josi, ele falou que você não precisa gritar, que ele não é surdo, que ele pode ser meio lerdo, tonto e atrapalhado, mas surdo ele não é!

A Josi continua andando pela sala inteira a passos largos e lentos, como se estivesse na Lua, e diz:

— Desculpa, menino! Eu não consigo falar com você de outro jeito.

Pego a Josi pelo braço, sento-a no sofá e pergunto:

— Fala sério! Fiquei muito feia?

— Não! Muito não. Faz de conta que você está interpretando uma Xuxa da inclusão. Se alguém começar a rir, você começa a babar e sai de fininho — a Josi brinca e o menino cai na gargalhada, então começou a repetir:

— Xuxa da inclusão, Xuxa da inclusão! A Josi é incrível, meu Deus! Sensacional.

Vou me trocar e continuo a ouvir a risada dos dois. Volto à sala e a Josi está andando esquisito de novo, tentando puxar papo com o menino, mas ele nem está mais lá. Explico que ele já foi embora, juntamos as coisas e vamos para o quarto deitar e dormir — afinal, já está tarde e o dia seguinte promete ser bem agitado. Deitamos, mas não conseguimos dormir logo, ficamos papeando, colocando a fofoca em dia. Falo para ela dos nudes e ela me mostra várias fotos que tem no celular. Jeová! Ela tem uma galeria de perus! Toda a paleta de cores, tamanhos e formas diversas! A cada peru que nós vemos, damos risada e ficamos analisando. Depois de um bom tempo, conseguimos dormir.

Enfim, o grande dia havia chegado. A Josi me ajuda a colocar todas as tranqueiras pedagógicas no carro. Meu Celta parece um carro alegórico de tanta coisa que tem dentro. Conforme combinado, chegamos um pouco mais cedo para montar as coisas e passar os últimos detalhes da apresentação. Enquanto finalizamos o ensaio, pais e demais alunos começam a chegar na quadra da escola para assistir à apresentação. Recolho meus alunos para que possamos nos vestir e, na hora em que me veem vestida de Xuxa, adoram e ficam rindo horrores.

– Vamos, gente, vamos! Está na hora! – É a diretora Carmem invadindo a minha sala e nos chamando para a apresentação.

A hora em que ela me vê de Xuxa, fala:

– Olha a Xuxa baixinha só para os baixinhos.

A minha vontade é a de responder: "Estamos precisando da nave da Xuxa no cenário, você não quer ficar parada lá e eu saio de cima de você?!".

Mas, muito carinhosa que sou, apenas dou uma risadinha sem graça e aceno. Pego os alunos pela mão e posiciono-os na quadra. Conforme combinado, às dez da manhã, a Josi dá o play no som e eu saio de trás da quadra com o microfone na mão, dublando a Xuxa.

Logo que piso na quadra, tenho um choque de realidade. Quem está na primeira fila assistindo à apresentação e acenando para mim? O Miguel! Que vergonha! Mais uma vez, eu estava pagando um mico! Tenho vontade de entrar embaixo da terra, mas respiro fundo e continuo, sem, obviamente, olhar na direção dele.

A apresentação acontece conforme o esperado? Dá tudo certo? Claro que não. Os alunos nunca fazem conforme o ensaio. Parece aula inicial de zumba: cada um por si, um vai para um lado, o outro vai para o outro e tem aquele que nem se mexe, sem falar nos que se mexem demais. O importante é que conseguimos realizar e finalizar a atividade. Ver o Heitor interagindo com todo mundo e o Pedro Henrique se comportando e não matando ninguém é algo muito recompensador, o principal motivo de eu estar pagando um mico para toda a comunidade.

Assim que acaba a apresentação, corro para a sala. Não quero ter a oportunidade de cruzar com o Miguel, estou morrendo de vergonha. Estou quase chegando, quando ouço:
— Espera aí, espera! — É a diretora Carmem me chamando. Eu fiquei no meio do pátio da escola, vestida de Xuxa, esperando por ela.
— Olha, Francis, eu sei que nós temos as nossas diferenças, de altura, principalmente, mas eu gostaria de te elogiar. Adorei a apresentação da sua turma, sabia que você daria conta do recado. Por isso escolhi você primeiro.
Ah, que falsa! Ela me escolheu primeiro para tentar me ferrar, mas eu mantenho a falsidade:
— Carmem, sei que nós temos nossas diferenças, que vão além da altura e da largura, mas nessas horas nós temos que superar isso. Fico feliz que tenha confiado em mim. Pode me chamar sempre que precisar, eu estou à disposição. — Depois disso, corro para a sala, mas, antes de chegar ao meu destino, escuto:
— Parabéns, moça! Adorei ver você de Xuxa — Miguel me parabeniza. Jesus! Isso era tudo o que eu não queria.
— Obrigada, Miguel. Melhor me ver assim do que com roupa de hospital e a bunda de fora, né?! — respondo totalmente sem graça.
— Francis, por que você sumiu? Te mandei mensagens e você nunca mais me respondeu. Eu fiz alguma coisa que magoasse você?
— Ah, Miguel, eu estava morrendo de vergonha. Você presenciou coisas horríveis, viu minha bunda no sol do meio-dia, eu vomitei em você. Achei melhor eu me afastar antes que eu te matasse... mas te mandei uma mensagem esses dias e foi você quem não me respondeu.
— Na verdade, eu troquei de celular, por isso eu vim na escola assistir à apresentação. O Cauê me falou que a sala da professora

esquilofrênica iria se apresentar, aí eu não pensei duas vezes em vir para te ver. Já que o nosso problema foi apenas falta de comunicação, quer almoçar comigo antes de seguir para a outra escola?

— Ai, Miguel, eu adoraria, mas não dá tempo... Ainda tenho que desmontar essa bagunça e correr. Se quiser, podemos jantar.

— Combinado! Jantamos hoje à noite, então. Será que você poderia ir de Xuxa, e eu vou de dengue?

— Vai de dengue que eu vou de chicungunha! — Eu rio e me despeço dele com um beijo no rosto e um abraço moderadamente apertado, mas a minha vontade é a de tacar-lhe um beijo na boca, só não posso fazer isso na frente de todo mundo.

Saio correndo para a sala a fim de me trocar e arrumar as coisas. Lá, parabenizo todos os capirotos e enfatizo que eu estou muito orgulhosa deles e que foi muito bom ver a sala interagindo.

Após desmontar tudo e organizar a bagunça, quando estou saindo da sala, o Heitor aparece à porta e me dá um abraço. Não diz nada, apenas me abraça. Eu faço um cafuné nele, me agacho na sua frente e pergunto:

— E aí? Gostou de ser meu assistente?

Ele apenas concorda com a cabeça e depois fecha o punho para que eu o cumprimente com um soquinho. Eu correspondo, o abraço de novo e falo no ouvido dele:

— Formamos uma excelente dupla! Pode contar sempre comigo!

Me despeço com um beijo no rosto e um abraço bem apertado, daqueles de arrancar os pés da criança do chão. É muito raro eu desenvolver um afeto grande pelos alunos, mas, por alguma razão, eu sinto um carinho enorme pelo Heitor — talvez por projetar nele um pouco da minha frustração em relação à educação do Mateus, ou por perceber que ele tem um talento incrível para a escrita e que eu não posso permitir que esse dom seja ofuscado pelas limitações de interação dele.

Eu estou tão atrasada que vou para a outra escola de Xuxa. A cada semáforo, a metamorfose vai acontecendo e a Xuxa dá lugar à Francis. Apesar de todo o esforço, tenho que entrar para a turma da tarde usando botas brancas. Não dá tempo de tirar. Aproveito o adereço e canto várias musiquinhas com eles, fazemos a nossa versão de "Xuxa só para Baixinhos" e é um sucesso.

Chego em casa morta de cansaço, mas, ao mesmo tempo, motivada porque vou jantar com o Miguel. Combino com ele às oito da noite. Dessa forma, tenho tempo de me arrumar tranquila e, depois do jantar, também dá para aproveitar a noite. O ônus de ser professora é que, lá pelas onze horas, o sono bate e começa uma sequência de bocejos intermináveis; por isso, sugeri esse horário ao Miguel: não quero parecer indisposta ou desagradável – sem falar que é minha chance de dar um chá de Dirce nele e me redimir.

Minha perfeição já cai por terra quando eu percebo que não vai dar tempo de ficar pronta até as oito. Gasto uns bons minutos tosando a Dirce; aliás, gasto não, invisto! Nesse caso, é um investimento, mas, na verdade, eu me atraso mesmo na hora de escolher as roupas. Me troco várias vezes, parece que nada está bom e, justamente quando você mais precisa, o seu cabelo te abandona. Eu estou toda descabelada e com a maquiagem cagada quando seu Dirceu me interfona:

– O senhor Miguel está aqui na portaria.

– Seu Dirceu, já estou descendo. Puxa... Conversa com ele aí, mantém ele ocupado que eu já desço. Se o senhor fizer isso por mim, a Josi vai te dar um beijo bem gostoso.

– Pode deixar, dona Francis, eu vou ganhar tempo para a senhora!

Ele diz isso em voz alta e com certeza o Miguel escutou. Penteio meu cabelo rapidamente, faço uma oração à Nossa Senhora do Frizz e para São Francisco da Hidratação e desço com a cara meio lavada mesmo. Chego lá, cumprimento o Miguel e, antes que eu fale qualquer coisa, o seu Dirceu começa:

— Oi, dona Francis, eu estava ganhando tempo como a senhora me pediu. Inclusive estava contando para o seu Miguel do dia em que a senhora precisou fazer uma chupeta. Tivemos até que chamar o vizinho do lado, porque eu sozinho não iria dar conta.

— Ah, que gentileza a sua, seu Dirceu. Vamos então, Miguel?

— Caminho para a porta, antes que o seu Dirceu fale alguma coisa ainda mais comprometedora.

— Tchau, seu Dirceu! — O Miguel acena, despede-se e depois me diz ao pé do ouvido. — Chupeta para o vizinho? E para mim só uma vomitadinha?

Eu não consigo responder nada, apenas dou uma risadinha sem graça. Eu sei que o Miguel está tentando ser brincalhão, mas eu ainda estou muito travada em relação a ele. Preciso reverter a minha imagem, por isso estou pisando em ovos. A minha reputação com ele não é nada boa.

Eu não sei se conto para ele ou não sobre o menino; afinal, ele já sabe que eu tive um sério problema e até o sobrinho dele ouviu que eu posso estar "esquilofrênica", mas eu acho que é muito cedo para abrir algo tão íntimo. Em contrapartida, sabe aquela pessoa que você não conhece há muito tempo, mas já sente total segurança e confiança nela? Pois bem, o Miguel me transmite tudo isso. Ele é praticamente um estranho, mas parece que está na minha vida há tempos.

O Miguel me leva para jantar num lugar muito legal chamado "Curitiba Comedy Club". É um bar só de comédia *stand up*, bem aconchegante, com luz marcada, decoração fazendo menção às piadas dos comediantes e mesas de madeira com luz de velas — o que deixa o clima ainda mais sofisticado. Fico impressionada com a beleza e o requinte do lugar, sem falar que o show é incrível! São três comediantes na mesma noite, um gordo... Aliás, são todos gordos, mas um é mais que o outro. Vou por escala!

O menos gordo se chama Serginho Lacerda, se não me engano, e fala sobre as peripécias de ser pai; depois, o gordo do meio, Rafael Aragão, é muito engraçado e até faz uma dancinha no palco; por fim, entra o mais gordão de todos, Thiago Souza, excelente também. Fala da mãe, do pai dele e da avó, que tinha Alzheimer. Olha, fico impressionada. Adoro assistir comédia pela televisão, mas nunca havia assistido ao vivo, é bem diferente! Tirando o medo que dá dos comediantes tirarem sarro da nossa cara, o resto é sensacional! Me identifico com várias situações que eles contam no palco. Isso tudo sem falar da comida, que é maravilhosa – tenho que me segurar para não comer descontroladamente; afinal, eu tenho uma certa expectativa em relação àquela noite, e ficar com gases ou estômago cheio não é muito recomendado.

O show é incrível, a comida sensacional, o papo rola legal, e o Miguel nem toca no assunto do hospital – o que me deixa muito aliviada. De repente, ele vira para mim e diz:

– Você concorda que está rolando alguma coisa entre a gente?

– Sim, eu concordo – respondo apreensiva.

– Francis, espero que você compreenda a pergunta que eu vou fazer, mas é algo que ficou me incomodando algumas vezes. Eu também acho que está rolando algo entre a gente. Aliás, para mim está rolando desde a primeira vez que eu te vi, mas o médico me falou uma coisa que me deixou encabulado. Enfim, eu preciso perguntar... Por que você não me mostrou a Dirce, sua gata?

Nossa! Depois de ouvir a pergunta, fico aliviada. Achei que seria uma coisa mais séria, mas eu tenho que inventar uma desculpa, pelo menos por enquanto.

– Miguel, eu não mostrei porque não era a hora ainda, mas, se tudo correr como o planejado, hoje você vai poder ver a Dirce.

— Vou?

— Vai! Se Deus ajudar, vai. Ela também está louca pra ver você, eu sinto isso!

— Você tem foto dela aí? — pergunta ele, apontando meu celular.

— Tenho, até que tenho uma, mas eu não tenho coragem de mostrar. E, outra coisa, se eu mostrar antes, vai estragar a surpresa.

— Mas como que ela é? Qual a raça dela?

— Ela é uma "Pepekas Persa", bem pequenininha, uma gracinha. — Meu Deus do Céu! Eu quero muito rir, fico contando essas coisas para ele e pensando nas meninas. Elas iriam se acabar de rir se estivessem vendo a conversa.

— É daquelas peludas?

— Não! Ela está bem peladinha, inclusive eu tosei ela hoje, por isso que me atrasei.

— E ela não fica estranha quando tosa?

Eu quase engasgo na hora que ele faz essa pergunta. Tenho que me segurar horrores para não rir. Será que ele vai ficar bravo comigo a hora que descobrir a verdade? Mas eu não posso perder a piada, é mais forte do que eu.

— Então, eu acho que ela fica mais bonitinha lisinha. Peluda ela fica muito desorganizada, além de ficar mais cheirosinha quando está lisinha. Não fica com aquele cheiro forte.

— É, isso é verdade. Tem gente que você sente o cheiro do gato na roupa da pessoa. Eu nunca senti o cheiro da Dirce em você!

— Mas vai sentir... — falo sem pensar.

— O quê?

— Uma hora ou outra, você vai sentir, é isso que eu quis dizer. Tem dias que ela está com cheiro mais forte e aí, se chegar perto, acaba sentindo.

— Eu gosto muito de animais, eu estou ansioso para conhecer a Dirce! Será que ela vai vir comigo, tipo aqueles gatos que se esfregam na gente?

— Eu vou esfregar ela em você inteirinho, fica tranquilo, Miguel! Vou passar a Dirce até na sua cara!

Ele ouve isso e dá uma risadinha sem graça, sem entender muito a minha afirmação. Eu não aguento e começo a dar muita risada; essa situação é bizarra, mas maravilhosa ao mesmo tempo. Aproveito a pausa gerada pela gargalhada e já puxo outro assunto. O Miguel pede outro vinho e ficamos conversando por mais um bom tempo. Quando olho no relógio, já é mais de meia-noite e eu nem estou sonolenta. Acho que é a adrenalina da conversa. Sugiro ao Miguel que peça a conta antes que o meu sono comece a bater. O garçom traz a conta e eu me ofereço para dividir, mas ele faz questão de pagar sozinho e eu nem sou louca de contrariar. Faço a pêssega e guardo, aliviada, o meu cartão. Quando já estamos no carro, ele pergunta:

— Para onde vamos?

— Você não quer ver a Dirce? Vamos pra casa que eu mostro ela pra você! Fica tranquilo que desta vez não vai ter espírito ou encosto pra atrapalhar a gente.

Chegamos em casa e, quando entramos no elevador, eu já o ataco. Estou cheia de vontade reprimida. Começamos a nos beijar e eu até aperto os andares errados só para o elevador demorar mais para chegar. A coisa está tão boa que chegamos ao meu andar e eu nem percebo, estou em outra realidade. Só me toco quando escuto:

— Com licença! Desculpa atrapalhar a diversão do casalzinho, mas eu tenho que usar o elevador!

É o meu vizinho sem camiseta. Acabou de abrir a porta do elevador e está chamando a nossa atenção. Olho para ele, um pouco sem graça, ajeito o cabelo, o vestido e respondo:

— Boa noite! Desculpa, estava tão bom aqui que eu perdi a noção do tempo... Ah e, só para constar, agora eu vou fazer uma chupeta de verdade, e não é no meu carro!

Saio do elevador de mãos dadas com o Miguel. Mal abro a porta e começo a beijá-lo de novo. Ele tem um beijo maravilhoso! Se bem que, com a vontade que eu estou, não sei se é mais mérito dele ou uma consequência da minha situação – estou numa secura por um beijo na boca que meu Deus! Em meio aos beijos, a gente vai em direção ao quarto e entra, sem pensar, no quarto pedagógico. No sofazinho que tem lá, em meio a cartolinas, EVAs e materiais pedagógicos, o Miguel finalmente conhece a Dirce, se é que você me entende.

A loucura é tanta que, quando acabamos, eu estou cheia de glitter no corpo e o Miguel com uma atividade colada nas costas, cheio de guache. Parecemos o casal de *Cinquenta tons de cinza*, mas na versão *Sítio do Picapau Amarelo*. Não dá outra. Quando nos olhamos, não conseguimos parar de dar risada. Ficamos deitados em meio às atividades. Deito no peito do Miguel e pego um TNT grande, que eu usei na festa do Halloween da escola, para cobrir a gente. Está escrito "doces ou travessuras" nele, mais um motivo para a gente dar risada.

— Foi bom pra você? – pergunto.

— Melhor do que eu esperava!

— E a Dirce? Bonitinha, não é?

— Cadê? Ela está por aqui?

— Está encostando em você agora, mais precisamente na sua coxa!

Ele fica parado, me olhando com uma cara surpresa, meio sem entender o que eu estou falando. Eu ergo o TNT, olho para a minha pepeca, depois para ele, e falo:

— Prazer, essa é a Dirce!

O Miguel fica me olhando e não digo uma palavra. Eu não sei se ele ficou bravo, assustado ou irritado, mas, de repente, ele começa a se abaixar e falar:

– O quê? Esse tempo todo, quando vocês falavam da Dirce, era a sua... – Ele aponta para minha pepeca.

– Aham! – Eu assinto.

– Não tô acreditando. Bem que a Josi falou que você só apresenta para os íntimos! Mas por que "Dirce"?

– Porque ela é pequenininha e alinhadinha, igual à boca do seu Dirceu!

Ele cai na risada.

– Bichana, vem aqui, bichana. Bichana, está com fome? O tio Miguel vai dar leitinho pra você. Bichana, bichana... Ele vai falando isso enquanto abaixa a cabeça sob o TNT em direção à Dirce. Round dois, aí vamos nós! Deus! Que sensação maravilhosa! É muito melhor do que eu esperava. Nem ligo para o barulho, para os EVAs que caem sobre a minha cabeça, para um percevejo fisgando a minha bunda. Tudo está valendo! É intenso, divertido e único. Depois de dois intensos rounds, tomamos um banho e vamos para a minha cama deitar. Geralmente eu não iria gostar de dormir ao lado de um estranho. Acho que dividir a cama por uma noite inteira é um ato que requer muita intimidade, mas, como já mencionei, me sinto muito livre ao lado do Miguel, então parece natural dormir ao lado dele.

Acordo com um belo café na cama? Não! Mas tudo bem, eu acho que até estranharia um café na cama depois da primeira transa. Vamos por partes. Sem falar que um café na cama, ao meio-dia, soaria meio esquisito. Isso mesmo! Acordamos ao meio-dia! Essa é uma das maiores alegrias de uma pessoa que pertence ao proletariado pedagógico: acordar tarde! Almoçamos juntos em um restaurante perto de casa.

Durante o almoço, noto que o Miguel está com resquícios de glitter no rosto. Comemos uma sobremesa e o Miguel vai para a casa dele. Eu volto para a minha, porque tenho umas atividades para fazer e o quarto da bagunça para reorganizar – desta vez, ele está mais bagunçado do que nunca. O domingo flui conforme o esperado. Organizo minhas coisas, faço a unha, vejo um filme, como igual a uma desesperada e, no final da noite, estou levemente depressiva porque tenho que acordar cedo na segunda. Mas, desta vez, a depressão está amena, porque eu estou muito empolgada com o progresso da turma. Antes de dormir, registro no meu diário como eu estou feliz com tudo o que está acontecendo, principalmente por reatar com o Miguel e com o Mateus. Agora só falta sair do cheque especial e emagrecer quatro quilos para os meus objetivos terem sido alcançados.

10 O céu existe?

A minha semana não poderia começar melhor. Logo cedo, recebo uma mensagem do Mateus:
"Mãe! Podemos começar as aulas particulares essa semana?"
"Claro!" Mando um emoji sorrindo. Em seguida, a foto do peru que eu recebi do Pedro Henrique, só para chocar mesmo. "Olha só a proteção de tela da mamãe! Brincadeira, peguei da internet. Eu nunca recebi um nude, filho, só enviei! Hahaha".
"Mãe!!!", ele escreve, seguido de um emoji com náuseas.
Combinamos que vamos estudar juntos duas vezes por semana no período da noite, além dos finais de semana em que ele vem ficar comigo. Além do Mateus, já deixo agendado que verei o Miguel também e, obviamente, combino com as gurias um jantarzinho para eu contar como foi a minha experiência de "Cinquenta tons de pedagogia". Eu estou com a semana cheia, mas são compromissos que eu estou ansiosa por cumprir.
Para minha surpresa, quando chego na sala, segunda de manhã, o Heitor está se socializando com alguns amiguinhos – não que ele tenha virado o aluno mais popular da sala, mas vê-lo interagir com um pequeno grupo de capirotos já é uma grande evolução.
Comunico aos pequenos que naquela semana faremos um concurso de soletração e, no final, o ganhador irá receber um prêmio – não divulgo o que é, até porque nem eu sei o que dar;

tudo depende do orçamento. Todo professor já deixa uma fatia do seu salário separada para ações pedagógicas, porque, vira e mexe, sempre tem um material de apoio e uma lembrancinha para comprar.

A semana corre maravilhosamente bem, com os alunos empolgados ainda mais depois de eu anunciar que o prêmio será chocolate. O Heitor dá um show na competição e outro show de solidariedade, porque ele ajuda todo mundo que recorre a ele – até o Pedro Henrique, que sempre faz bullying com ele, está sendo ajudado.

As aulas com o Mateus, apesar de ele ter uma certa dificuldade, também vão bem. Às vezes eu tenho vontade de esganá-lo, mas me controlo; não quero o Mateus mais nervoso do que o habitual. Acredito que parte da dificuldade dele esteja relacionada a algum tipo de bloqueio emocional; por isso, além de explicar a matéria, eu o elogio bastante a cada acerto, para que ele perceba que é capaz de aprender.

O reencontro com o Miguel é bem legal: vemos um filme e depois vamos para a casa, porque a Dirce está com saudades dele. Ou seja, a semana flui perfeitamente bem. Até o meu vizinho passa a andar de camiseta pelo prédio, o que eu considero uma grande evolução! A única coisa que me incomoda é a ausência do menino da mochila azul; ele nunca mais apareceu para mim. Será que a missão dele na minha vida já foi cumprida? Ele iria embora sem se despedir? Por incrível que pareça, eu estou com saudades das aparições surpresas dele. Às vezes, quando eu estou sozinha em casa, chamo por ele, olho embaixo da cama, mas nada de ele aparecer.

Decido focar minhas energias nas aulas com o Mateus, porque o final do ano está chegando e ele tem pouco tempo para poder reverter sua situação. Em vez de ter aulas duas vezes por semana, ele escolhe ficar em casa até a semana de provas. Quer notícia melhor?! O Mateus, mesmo que momentaneamente, voltou a morar comigo! Eu estou radiante! Em virtude disso, eu e o Miguel damos uma pequena pausa nos encontros, mas ele compreende tranquilamente a minha ausência e ainda me apoia. Que homem! Eu estou me esforçando para ser a mais equilibrada possível, mas o envolvimento é inevitável. Acho que estou começando a me apaixonar. Como eu já sou medicada em desilusões amorosas, sei que não posso me jogar sem pensar nas consequências: o ideal é dar um passo de cada vez.

O Mateus está progredindo cada vez mais; é tão bom vê-lo vencendo as próprias limitações. A mesma coisa acontece com Heitor, que venceu o curso de soletração e está cada vez mais próximo dos outros alunos. Apesar de todo o meu desgaste físico, o esforço vem sendo recompensado.

A prova real para verificar se o Mateus está aprendendo de verdade será um exame nos próximos dias; se ele for mal, as coisas podem ficar muito complicadas para ele. Um dia antes do tal exame, levo-o ao cinema novamente; quero que ele esteja relaxado e confiante para fazer a prova. Tudo que era possível fazer, nós fizemos. Agora é hora de relaxar e se concentrar. No dia da prova, faço questão de levá-lo à escola e retifico:

– Filho, estou muito orgulhosa de você! Mas o mínimo que espero é uma nota nove. Se tirar menos, me esqueça e nunca mais me chame de mãe! Brincadeira, filho. Vai lá e arrasa!

Ele me dá um abraço e segue para o exame. Por mais que eu tenha tentado disfarçar, estou muito nervosa. Se o Mateus não for bem, isso só irá reforçar o bloqueio dele em relação à sua capacidade de aprendizado.

Eu já estou com os meus capirotos quando recebo uma ligação da escola do Mateus. Meu coração chega a gelar e parar. Penso nas piores coisas possíveis... Será que ele surtou na prova? Passou mal? Vomitou em cima da carteira? Atendo morrendo de medo:

– Alô? – digo com a voz embargada.

— Alô? É a senhora Francislena? — responde do outro lado uma voz bem grossa e rouca. Parece o Francisco Cuoco com um toque de pigarro.

— Isso mesmo, é a Francis! O Mateus foi mal na prova? Passou mal?

— A senhora teria um tempo para vir à escola para conversar?

— responde com outra pergunta. Como eu tenho raiva disso! Eu estou tão aflita que nem esclareço a minha dúvida e respondo de maneira impulsiva:

— Claro, já estou indo!

Antes de deixar a turma em modo avião e sozinha, dou aquele recado básico:

— Eu vou ter que dar uma saída e não quero saber de ninguém bagunçando! Pedro Henrique, eu quero que você anote num caderno o nome de todo mundo que me desobedecer e ficar fazendo bagunça. Enquanto isso, quero que vocês façam uma redação com o tema: "Minha vida na escola!". Qualquer dúvida, perguntem para o Heitor. E o principal: essa redação vai valer nota! Por isso é importante que todos façam.

Antes de sair da escola, peço à Josi para que dê uma olhada nos meus alunos. Ela prontamente aceita, apenas reivindica:

— Quando eu precisar de você, não me venha com desculpas de que está *esquilofrênica*! Vai lá, guria, boa sorte com seu capiroto *teen*.

Pego o carro e vou para a escola do Mateus o mais rápido que eu posso. Desta vez, eu estou mais nervosa do que quando ele machucou a mão com a bombinha. Eu sei o quanto ele se esforçou e não quero que ele se decepcione.

Chego à escola e corro para dentro. Nem sei por quem procurar. No meu nervosismo, nem perguntei o nome de ninguém. Estou me sentindo aquelas mães perdidas, que chegam à escola de legging manchada e com os cachorros da rua as acompanhando, sem nenhum tipo de informação e, às vezes, sem nem saber a sala em que o filho estuda. São tipos que eu critico sem piedade e estou me comportando exatamente do mesmo jeito: de legging, visivelmente perdida e até olhando do lado para ver se não tem nenhum cachorro me seguindo. Avisto uma pessoa com uniforme e vou me orientar:

— Oi, sou a mãe do Mateus, do segundo ano. Recebi uma ligação da escola e gostaria de saber se está tudo bem com ele... Acho que ele está fazendo uma prova. Será que pode ter ocorrido algum problema?

— Eu vou verificar. Como é o seu nome?

— Francislena, mas pode me chamar de Francis. Eu não lembro o nome da pessoa que falou comigo, mas foi agora há pouco. Me recordo que tem uma voz bem grossa, fala assim: "Alô", bem grave... — Meu Deus! Eu estou tentando imitar o Francisco Cuoco para uma desconhecida.

— Só um minuto, eu já volto! — Ela sai nitidamente segurando a risada e vai caçar informações para essa mãe que está tão perdida que nem parece trabalhar com educação. Pouco tempo depois, volta com notícias: — Então, o Mateus ainda está em prova, não é possível falar com ele por enquanto. A ligação que a senhora recebeu foi do departamento financeiro. Pode me acompanhar, por gentileza?

— Claro! — respondo com uma cara confusa. Jurava que seria um problema com o Mateus. Uma chamada do financeiro para mim é novidade.

Chego à sala do financeiro e sou recebida por uma mulher com cabelo roxo, óculos no rosto — bem na ponta do nariz — e outro na gola da blusa (com certeza um é para perto e outro para longe); muito bem vestida por sinal, claramente não é professora. Ela está sentada atrás de uma mesa que realmente se parece com um recinto de gente que lida com financeiro, cheia de planilhas, gráficos, listas de nomes etc. Ela me olha, pede que eu me sente e fala:

— Senhorita Francislena, bom dia! — Meu Deus, a voz grossa era dela! A voz dela não orna com o corpo, tadinha, que estranho! Ela parece uma boneca de ventríloquo sendo controlada pelo Francisco Cuoco.

— Bom dia! – respondo, me segurando para não dar risada.

— Então, o motivo da minha ligação é o seguinte: a senhora sabe que o Mateus é bolsista em nossa escola, ele recebe mensalmente uma gratificação de trinta por cento no valor da mensalidade. Porém, devido à constância nos atrasos, o Mateus perderá a bolsa. Se a senhora não regularizar pelo menos três meses de mensalidade, ele será obrigado a nos deixar.

Isso não faz o menor sentido. Sou tomada pelo nervosismo, começo a tremer e não sei o que responder. Tenho que parar um segundo e raciocinar para poder entender o que está acontecendo antes de responder. Depois de um tempo pensando, digo apenas:

— O quê?

Ela repete as mesmas palavras que, na verdade, eu já entendi, mas a minha ficha não caiu ainda.

— Mas como assim?! Eu tenho feito os pagamentos em dia! Deixo de pagar outras coisas, estou devendo De Millus para a Sibele e uma garrafinha de Tupperware para a Claudia, sempre priorizando os estudos do Mateus. Meu filho estuda aqui faz tempo, até por isso que eu o mantive mesmo depois da separação, porque eu gosto do método de aprendizagem adotado pela escola.

— Os seus pagamentos sempre foram em dia, mas acontece que, de seis meses para cá, não recebemos nenhuma mensalidade. Geralmente, com três meses já cancelamos a bolsa, mas, no caso do Mateus, resolvemos esperar um pouco mais, porque conhecemos a família.

— Não é possível! Todo mês eu deposito o dinheiro para o pai do Mateus pagar a escola. Como o Mateus ficou com ele, eu dou uma pensão para auxiliar nos gastos, e um desses gastos que eu pago com muito sacrifício é a escola! Vocês chegaram a falar com o pai dele?
— Falamos, sim! Desde o primeiro atraso. Mas ele sempre fica procrastinando uma solução. Inclusive ligamos várias vezes para ele nos últimos dias, mas não obtivemos sucesso nem retorno. Justamente por isso eu resolvi ligar para a senhora.
— Filho da puta!
— O quê? — retruca ela, com a voz grossa.
— Filho da puta é ele, não é a senhora, não!
Solto o palavrão na frente da mulher e começo a chorar. Eu estou fora de controle. Não acredito que o pai do Mateus está pegando o dinheiro e usando com outras coisas. Eu me esforço horrores para pagar a escola e ele me faz uma dessas?
— Qual é o valor total da dívida? — pergunto, suando frio e fazendo o possível para segurar o choro.
— Então, nesse caso, como as mensalidades estão atrasadas, o benefício da bolsa é perdido, além do acréscimo dos juros. Se considerarmos essas variáveis, o valor total da dívida é de onze mil e quatrocentos reais.
— Onze mil reais?
— E quatrocentos! — completa ela.
— Eu tenho que pagar tudo de uma vez?
— Você tem essa semana para regularizar pelo menos três meses, senão ele será impedido de continuar os estudos.
— Mas ele está em semana de provas, e daqui a pouco tempo tem a formatura da turma. Vocês iriam tirá-lo da escola justamente neste momento?
— Infelizmente, sim, é o protocolo que adotamos. Não podemos realizar um procedimento diferente com a senhora.

Eu apenas concordo com a cabeça e começo a chorar novamente. Me despeço dela e saio da escola totalmente atordoada; até me esqueço de verificar se o Mateus já terminou a prova. Estou alucinada e preciso urgentemente falar com o pai do Mateus.

Chego no carro e quem disse que eu acho a chave? Procuro na bolsa, nos bolsos, olho minhas mãos – porque eu já cometi esse erro de procurar a chave na bolsa sendo que elas estavam na minha mão o tempo todo –, viro as coisas da bolsa no chão e nada de achar a bendita chave. Era tudo o que eu precisava nesse momento. Volto à sala do Francisco Cuoco para ver se eu deixei a chave lá, vou olhando todo o caminho com atenção e nada de encontrá-la. Entro na sala sem bater e elas estão comentando sobre mim:

– Os pais sempre usam a mesma história: a mãe coloca a culpa no pai. Se fosse o pai que estivesse aqui, ele colocaria a culpa na mãe.

Interrompo a Francisco:

– Com licença, em primeiro lugar, se você não acredita no que os pais vão dizer, por que os chama aqui para conversar? Segundo, em nenhum momento eu falei que eu não vou pagar a conta. Fique tranquila, que eu vou dar um jeito! Terceiro, você viu a chave do meu carro aí?

– Não... – ela responde, toda sem graça.

– Ok! Obrigada, passar bem. Ah... e trate de fazer um gargarejo, porque você tem a voz do Francisco Cuoco versão fumante – digo isso e saio da sala.

Volto ao carro e não acho a maldita chave de jeito nenhum, mas como isso é possível? Eu cheguei aqui com o carro, a chave tem que estar em algum lugar nesse raio de escola! Saio igual a uma desorientada olhando para o chão do estacionamento. De repente, escuto um barulho semelhante a um alarme; olho e, para minha surpresa, é o alarme do meu carro. Era só o que me faltava.

Chego no carro e começo a chacoalhá-lo para ver se o alarme para. Algumas pessoas começam a aparecer em volta e eu morro de vergonha, até que um dos funcionários da escola pergunta:
— De quem é esse carro?

Minha vontade é a de ficar quieta e fingir que o carro não é meu, mas, como eu não tenho opção de escolha e preciso urgentemente falar com o pai do Mateus, morrendo de vergonha, ergo a mão:
— É meu!
— A senhora não consegue entrar? O que aconteceu?
— Eu perdi as chaves. Não estou achando. Já cansei de procurar e não sei onde estão. O senhor pode me ajudar?
— Então, eu até posso ajudar a senhora, mas preciso do documento para confirmar que o carro é mesmo da senhora.
— O documento está dentro do carro, ali, naquele negócio que abaixa. Ali, ó! — falo apontando para o para-sol, mas não sei o nome daquele bendito acessório.
— Sem o documento, infelizmente, eu não posso mexer no veículo, porque, se eu tentar abrir a porta, pode causar alguma avaria e eu preciso da ciência do proprietário do veículo.
— Moço do céu, eu estou falando que esse carro é meu! Se eu fosse mentir, falaria que tenho uma Ferrari, não um Celta com o para-choque riscado e as calotas quebradas. Olha ali no banco de trás, está cheio de EVA, tem até uma fantasia da Xuxa! Juro que esse carro é meu!

A merda do alarme não para e vai juntando cada vez mais gente, funcionários, alunos e cachorros.
— O que está acontecendo aqui? — Só pelo tom, eu já sei que é o Francisco Cuoco. Me viro e confirmo ser ela mesma querendo saber.
— Seu funcionário não quer me ajudar. Eu estou falando que sou a dona do carro e ele não está acreditando em mim.

— Esse é o protocolo da escola. Nós não podemos intervir no carro, mesmo que você *esteje* afirmando que é a dona dele!

— "Esteja" afirmando! — corrijo mesmo, é mais forte que eu.

— O quê? — retruca ela. Acho que ela não entendeu que eu a estou corrigindo.

— Quero dizer que não existe "esteje", nem "seje", nem "veje", assim como não existe sentido em você não querer me ajudar, mas tudo bem. Eu vou dar um jeito sozinha! Vou ligar para o seguro e eles vão vir aqui.

O meu carro nem tem seguro, mas eu pego o telefone e finjo que sim. O alarme do carro para de tocar, mas os limpadores de para-brisa começam a funcionar. Olho para dentro do carro e vejo o menino de mochila azul lá dentro.

— O que você está fazendo aí? Abre a porta pra mim! — Bato no vidro e insisto que o menino abra. Ele começa a negativar com a cabeça. — Abre! Isso é coisa sua, você quer me deixar louca?! Eu não estou brincando, preciso usar esse carro! — Bato no vidro.

— Está tudo bem? — pergunta a Francisco Cuoco.

— Sim, está ótimo. Só tenho que convencer esse espírito de capiroto a abrir a porta para mim, que eu vou mostrar pra vocês que esse carro é meu.

— Quem? — me pergunta o funcionário da escola.

Por um momento, eu esqueci que as outras pessoas não veem o menino, e eu estou parecendo uma louca falando com uma pessoa que nem existe. Agora ninguém, definitivamente, vai acreditar que aquele carro é meu.

— Abra a porta! Abra a porta! — o menino fala para mim lá de dentro.

Eu, mesmo que desconfiada, me viro para o carro, ergo a maçaneta, e a porta se abre sem nenhum problema. O menino está apontando para a ignição do carro. É nesse momento que eu observo que eu esqueci a chave dentro do carro! Ela estava ali o tempo todo, o carro estava aberto. Todo o estardalhaço foi totalmente desnecessário. Diante das pessoas me olhando, fecho a porta, abro o vidro e digo:

— Eu esqueci a chave na ignição! O que só prova que esse carro é meu, sim! Obrigada pelo grande nada que vocês fizeram por mim! Tchau!

Vou sair com o carro cantando pneu, tipo filme de ação, mas ele morre. Eu ligo de novo e, sem olhar para trás, saio bem devagar para não morrer outra vez. Sigo para falar com o pai do Mateus; toda essa confusão só me deixou mais nervosa e irritada.

— Se não sou eu aparecer na sua vida, você está perdida, né? — diz o menino.

— Fica quieto! Você sabia que a chave estava na ignição e não me avisou, me deixou ali plantada, passando vergonha!

— Mas eu não iria interromper a sua reunião com a Francisco Cuoco. No momento certo, eu intervim e ajudei você! Inclusive, me permita te elogiar: você está com uma pele ótima, o que andou fazendo na minha ausência? Apresentou a Dirce para o Miguel?

— Menino, está louco?! Eu estou mal, não estou a fim de brincadeira. Acabei de descobrir que o meu ex-marido não pagou a escola do Mateus e agora eu estou devendo onze mil reais.

— E quatrocentos! — completa ele.

Nesse momento, eu grito de raiva.

— Saiiiii! Sai daqui, me deixa! — digo isso e começo a chorar. Na verdade, eu estou arrasada por dentro, não mereço passar por isso!

— Calma, Francis, me desculpa! Às vezes eu extrapolo na brincadeira, mas eu vim dizer para você ter calma. Eu estava te observando e gostaria de parabenizá-la. Você está conseguindo colocar as coisas no eixo, não pode pôr tudo a perder agora. Na hora que for conversar com o pai do Mateus, não se desespere nem faça nenhuma loucura. Ele é maldoso, vai acabar usando isso contra você!

Seguimos o caminho em silêncio. Eu não estou a fim de falar com ninguém. Tento me acalmar ao longo do percurso, mas é praticamente impossível. Chego na casa do falecido chorando. O menino da mochila me dá um pedaço de TNT para enxugar o rosto:

— Boa sorte! Fique calma, não exploda. Se precisar, eu estou aqui!

Como o porteiro me conhece, me deixa entrar sem anunciar. Nem bato à porta, já vou entrando, e lá está a criatura sentadona no sofá, vendo televisão. Entro na frente, desligo a TV e fico olhando para ele.

— Você está louca?

— Eu? Sim! Estou louca e por sua causa. Que história é essa da escola do Mateus não receber a mensalidade há mais de seis meses? Você sabe que ele pode ser desligado da escola porque a mensalidade está atrasada? O que você fez com o dinheiro?

— Eles estão exagerando! Eu vou dar um jeito!

— Dar um jeito? Dar um jeito? Você nunca deu um jeito nem na sua vida, você é totalmente irresponsável! Sabia que por sua causa o valor da dívida está em onze mil reais?!

— Onze mil? — pergunta ele, assustado.

— E quatrocentos! — grito. — Onze mil e quatrocentos! Como é que você vai pagar isso? Temos que acertar esse valor, senão o Mateus vai ser afastado da escola. Estou há dias trabalhando com ele para que possa ir bem nas provas finais, porque, se depender de você, o menino vai repetir de ano e você nem vai saber. O que você fez com esse dinheiro?

Ele fica em silêncio e não fala nada, porque é isso que os homens fazem quando não têm argumentos para justificar os seus

erros: ficam em silêncio, olhando para baixo. Parecem os meus alunos quando levam bronca.
— Me fala, o que você fez? O Mateus sabe que você não está pagando a escola? Me fala! — eu grito com ele. A minha vontade é a de jogar um vaso na cabeça do falecido.
— Eu usei para pagar outras contas. O Mateus estava precisando de roupas e outras coisas. Ele é jovem e precisa se divertir. Eu não estou conseguindo trabalho, as coisas estão difíceis. Você acha que é fácil? Seu filho precisando de bens e você não conseguindo suprir? Usei esse dinheiro para o benefício dele e não o meu. Tudo que eu faço é por ele.
— Você é louco! Quer jogar o peso da sua irresponsabilidade nas costas do menino? Sua especialidade é distorcer a realidade. Você é especialista nisso. Você vai ter que dar um jeito de arrumar esse dinheiro, eu não quero nem saber.
— Eu não tenho onze mil reais! — diz ele.
— E quatrocentos! São onze mil e quatrocentos, e você vai ter que pagar. Se não pagar, o Mateus vai sair da escola.
— Mas, se ele sair, você não consegue uma vaga para ele na sua escola? É só ajeitar uma vaga na escola pública e nem tudo estará perdido!
Depois dessa observação do falecido, eu fico louca. Meu sangue sobe e eu vomito tudo na cara dele, aponto o dedo em seu nariz e grito. Eu estou totalmente fora de controle.
— Olha só o que você está falando! E todo investimento que eu fiz para que ele tivesse uma boa educação?! Você não sabe o que é educação porque você não tem! Eu acho que a dificuldade que o Mateus tem de aprendizado veio de você. Todo o senso de irresponsabilidade que ele tem veio de você: não estudar, jogar bombinha nos outros, tudo isso é coisa sua! Eu me arrependo amargamente de ter tido o Mateus. Olha, não tenho dúvidas, ter tido o Mateus com você foi um erro!

– Então é isso? – fala o Mateus, parado em pé à porta.
Ele larga a mochila e os papéis no chão e corre para o quarto.
Eu não reparei, mas o Mateus estava em pé à porta entreaberta, ouvindo tudo o que eu dizia para o pai dele. Não sei desde quando ele estava lá, mas ouviu justamente eu dizer que ele é um erro, quando, na verdade, o que eu quis dizer era que o pai dele foi um erro. Eu imediatamente corro atrás do meu filho:
– Mateus! Filho, vem aqui! Não foi isso que eu quis dizer!
Tento consertar as coisas, mas ele se trancou no quarto. Tento insistir, fico ali batendo à porta e chamando por ele, mas ele não me atende. Volto para a sala, arrasada. Quando olho nas coisas dele, que estão no chão, há uma folha junto com a mochila, justamente a prova que ele acabou de fazer. Nove. Ele conseguiu tirar nove, exatamente a nota que ele precisava. Junto da prova, tem um bilhete:

Mãe! Muito obrigado por tudo! Eu consegui tirar nove em português. Jamais achei que fosse conseguir essa nota em uma matéria tão chata. Talvez em educação física eu conseguisse! Eu adorei passar alguns dias com você, mas espero não precisar ter que fazer aulas com a senhora nunca mais! No lugar, podemos ver mais filmes, sempre que a senhora quiser! Eu te amo! Ass: Mateus! P.S.: Me deve uma coxinha para comemorarmos!

Leio, sento e choro como há muito tempo não faço. Que aperto terrível no peito. Que vontade de sumir. Não acredito que eu perdi aquilo de mais precioso que eu alcancei: a companhia do meu filho. Eu nunca tinha recebido uma declaração de amor tão explícita do Mateus, ele sempre foi muito fechado. Para ter se exposto a esse ponto, significa que realmente foi tocado pela nossa convivência, e eu estraguei tudo.

Depois de ficar ali, lendo a carta e chorando por horas, eu tento novamente falar com o Mateus. Bato à porta várias vezes, imploro, suplico, mas não obtenho resposta. Sigo em direção ao carro, desolada, acabada, e, antes que eu chegue, escuto:
— Francis! Eu só queria que você ... – É o pai do Mateus.
Antes que ele termine as justificativas, eu digo:
— Vá tomar no olho do seu cu!
Entro no carro chorando com a prova do Mateus na mão, e, sem falar nada, o menino da mochila azul me abraça e eu desabo no ombro dele! Quando já não há mais lágrimas para derramar, pego o carro e vou embora. Chegando em casa, mando várias mensagens para o Mateus, mas ele nem visualiza. A cada cinco minutos eu olho para o celular para verificar se ele visualizou; meu desespero aumenta quando eu noto que ele me bloqueou. O único canal de comunicação que eu tinha com o meu filho acabou.

Fico na cama olhando para a prova dele e chorando; era para eu estar comemorando com ele essa nota, e, em vez disso, estou morrendo de raiva de mim. Eu só quero uma oportunidade de me explicar; ele entendeu tudo errado. Dentro de mim está uma confusão, um misto de raiva, tristeza, indignação, angústia e uma vontade de gritar.

— Não fica assim! – diz o menino, sentado ao meu lado na cama.

Eu nem respondo. Infelizmente, não estou a fim de conversar. Quando fico mal, prefiro me debruçar nos papéis e colocar ali os meus sentimentos. É justamente o que eu faço: escrevo tudo o que eu estou sentindo, todo o amor que eu tenho pelo Mateus, toda a frustração daquele momento por ter estragado tudo. O meu maior desejo é poder voltar no tempo e fazer as coisas diferentes. Por incrível que pareça, eu nem estou pensando nos onze mil e quatrocentos reais, eu só quero a relação com meu filho de volta. Enquanto eu escrevo, acabo pegando no sono e durmo.

Acordo e tem um café preparado para mim, uma bandeja com frutas e duas coxinhas daquela padaria que o Mateus gosta, juntamente com um desenho e uma frase: "Nunca é tarde para recomeçar! P.S.: É verdade esse *bilete*!"

Tiro fotos da coxinha para mandar para o Mateus, mas, como ele me bloqueou, não conseguia enviar. Nem mexo na comida e vou trabalhar; estou bem desmotivada e, na verdade, não quero encontrar ninguém. Logo que eu chego, as meninas já percebem pela minha cara que eu não estou bem.

— Nossa, amiga, o que aconteceu? Vomitou no Miguel de novo? — pergunta a Josi.

— Antes fosse, amiga. Eu e o Mateus nos desentendemos. Aliás, ele está bravo comigo, tudo por causa daquele imprestável do pai dele. Eu acabei falando umas coisas que não deveria e ele ouviu. Você acredita que o dinheiro que eu repassava para eles pagarem a escola e ajudar nas contas do Mateus foi gasto com outras coisas?! Agora eu estou devendo mais de onze mil reais pra escola do Mateus.

— Onze mil reais? — pergunta a Mari.

— E quatrocentos, para ser mais exata! — respondo.

— Amiga, que horror! O pior é que nem se você vender o seu corpinho você consegue arrecadar esse valor! — diz a Josi.

— Josi, ela está mal, agora não é hora para piadas — diz a Marli, me abraçando.

— Justo agora que estava tudo caminhando tão bem com o Mateus, com o Miguel, as crianças da minha sala se dando bem, até o Pedro Henrique evoluindo... Tinha que vir essa bomba justo agora? Eu vou parar de falar senão vou começar a chorar.

Nesse momento, entra a diretora Carmem na sala dos professores:

— Francis, fiquei sabendo que os concursos de soletração que você faz na sua sala estão sendo um sucesso. Como falta pouco tempo para a formatura, gostaria de organizar um concurso entre a escola inteira, uma sala contra a outra, e a sala ganhadora receberá um prêmio no dia da festa de final de ano. Você pode organizar?

Era tudo que eu precisava nesse momento da minha vida: organizar um evento na escola. Eu não estou com motivação nem para cuidar da minha turma, o que dirá um evento da escola inteira.

— A gente pode organizar junto com ela? Era exatamente sobre isso que a gente estava falando aqui — diz a Josi para a diretora, na tentativa de me salvar.

— Tudo bem por você, Francis? — pergunta a diretora.

Eu apenas faço um joia com a mão. Ela, nitidamente, não gosta da minha reação, mas eu quero deixar bem claro que não estou motivada com a ideia. Vou para a minha sala e, antes que eu chegue até lá, alguns alunos vêm ao meu encontro perguntando do concurso de soletração. Eles estão empolgadíssimos, mas eu não tenho forças para corresponder com a mesma motivação. Dou uma aula tão pra baixo que várias vezes eles perguntaram se está tudo bem comigo. Eu minto, dizendo que sim, mas no final da aula o Heitor vem e me dá um abraço bem forte. Acho que ele percebeu que eu estou precisando.

Mando uma mensagem para o Miguel, convidando-o para ir à minha casa naquela mesma noite. Acho que seria bom poder desabafar com alguém e o Miguel costuma ser um bom ouvinte. Mas já deixo bem claro na mensagem que estou precisando de um ombro amigo, que não estou muito disposta para rolar nos EVAs com ele e que a Dirce está fechada para balanço.

O Miguel, muito gentil, leva um jantar para a gente. Eu até tento comer, mas estou sem apetite. É muito ruim olhar para aquela casa e não encontrar o Mateus; ele estava praticamente morando comigo por causa das aulas particulares, o que me fez acostumar com a presença dele em casa. Durante o jantar, conto para o Miguel o que aconteceu, e a resposta dele me surpreende um pouco.

– Mas você sabe como são os adolescentes. Daqui a pouco, essa bobeira passa e vocês voltam a conversar! – Depois de dizer isso, ele tenta me dar um beijo como se o assunto estivesse encerrado.

– Bobeira? Como assim, bobeira? O Mateus é um adolescente cheio de traumas e fragilidades. Ouvir o que ele ouviu não é uma bobeira. Se for para você me dar esse tipo de conselho, eu prefiro que não fale nada!

– Não foi isso que eu quis dizer!

– Então não diga nada. Filho não é igual a sobrinho, que você vê de vez em quando e está tudo bem. Ainda mais no meu caso, que meu filho sempre se manteve distante de mim. Agora que eu me aproximo dele, acontece isso? Talvez eu devesse ter chamado outra pessoa para conversar.

– Devia ter chamado o seu vizinho. Quem sabe, além de conversar, vocês não faziam alguma coisa a mais?

– O quê? Miguel, se você não estava disposto a vir aqui conversar comigo, não viesse. Eu deixei bem claro para você que estava precisando de um amigo, e você se dispôs a vir. Mas acho que não deveria ter vindo.

– Francislena, eu sou seu amigo, tanto é que...

Eu o interrompo:

– Francislena?! Você está me chamando de Francislena para me atingir! Miguel, não se faça de bom moço. Se você está com raiva de mim, fale!

– Você está louca?! Acho que o meu sobrinho tem razão, você está ficando meio *esquilofrênica*, acho que deveria chamar os espíritos aqui para fazerem companhia para você!

– Ok, Miguel, é isso mesmo que eu vou fazer. Prefiro a companhia deles do que a sua. Tchau. Vá embora, por favor!
– Ok! – diz ele.
– Ok? Eu falo para você ir embora e você vai?
– Francislena, você acabou de falar para eu ir embora!
– Eu falei, mas era pra você ter me contrariado, me abraçado, e não concordado comigo. Você é um trouxa, Miguel, e me chamou de Francislena de novo!
– Eu prefiro você vomitando em mim do que ter que enfrentar a sua versão bipolar! – afirma ele.
– Bipolar mesmo, dividida entre a Francislena e a Dirce, e essa última você nunca mais vai ver. Dá tchau pra Dirce, dá. Espero que você tenha aproveitado bem. Tchau, some daqui!
Ele fica parado, me olhando, e vem para o meu lado tentar me abraçar.
– Some daqui! – Eu o empurro.
– Mas você disse que, quando você me expulsasse, era para eu te abraçar.
– Eu disse isso aquela hora, mas agora é para você ir embora mesmo! Some!
– *Esquilofrênica*! – Ele bate a porta e vai embora!
Eu sento no sofá e começo a chorar mais ainda. Não acredito que briguei com o Miguel. Estou chorando e a campainha toca. Vou correndo atender, só quero um abraço do Miguel e nem sei por que eu discuti com ele. Abro a porta e é o menino da mochila azul com uma máscara com o rosto do Miguel.
– Não tem tu, vai tu mesmo. Não sou o Miguel, mas posso fazer companhia para você!
Bato a porta na cara dele, volto para o sofá e começo a chorar de novo. O menino atravessa a porta e me faz companhia aquela noite. Não conversamos, mas ele fica fazendo cafuné em mim até eu dormir no colo dele. Chorar, chorar e chorar é só

o que eu sei fazer ao longo dos próximos dias. Por mais que as pessoas tentem me colocar para cima, eu não consigo voltar ao normal. Chego a tentar falar com o Mateus, mas ele não quer me atender. O pai diz que ele não quer falar com ninguém. Agora, além do Mateus, o Miguel também está distante de mim. Ou seja, eu estou afundada na merda e, para ajudar, a mulher do financeiro da escola fica me ligando para cobrar os onze mil reais. Eu salvei o número dela como Francisca Cuoco; a hora em que vejo esse nome na chamada do celular, nem atendo mais. O pior de tudo, eu ainda tenho o concurso de soletração para organizar. Vou cortar uns EVAs e imprimir umas letras para organizar para o concurso:

— Deixa que eu ajudo você! — diz o menino da mochila azul, segurando uma tesoura.

— Obrigada! — respondo.

— Olha, Francis, eu sei que é difícil, mas você precisa resgatar aquela Francis animada que cativou o Mateus. Essa Francis cabisbaixa não vai conseguir reconquistá-lo.

— Mas eu não consigo, acho que eu estou cansada de tentar fazer as coisas certas e acabar fazendo tudo errado!

— Mas você não pode desistir! A vida é isso mesmo: uma hora você está em cima e uma hora você está embaixo. É igual a uma roda gigante!

— Só que eu estou cansada de ficar na parte de baixo. A minha roda gigante está quebrada, então, porque ela não sobe, ou, quando sobe, não permanece nada lá em cima e já desce de novo! Eu agradeço a sua ajuda, mas eu acho que você pode se dedicar a outra pessoa. Sei lá, escolhe alguém que vá dar menos trabalho pra você e que tenha mais chance de dar certo.

— Eu sabia que não seria fácil e eu topei a missão mesmo assim! Eu não vou abandonar você! — Ele me abraça. Eu começo a chorar outra vez, mas não tenho nem forças para retribuir o

abraço. – Francis, eu vou dar um jeito nisso, confia em mim! Eu não tenho onze mil reais para te dar; na verdade, eu tenho, mas eu sei que você não tem condição de me pagar de volta, por isso não vou te emprestar... Estou brincando! Você confia em mim? – ele me pergunta.
– Sim! Eu confio!
– Posso resolver isso do meu jeito?
– Se você conseguir trazer o Mateus de volta para mim, pode fazer até macumba!
– Então, deixa comigo! Agora quero ver um sorrisão nesse rosto antes de eu ir embora!
– Não consigo! – Tento sorrir, mas realmente não consigo.
– Imagina a dona Carmem pelada só com um EVA em cima da Dirce – diz ele.
Eu rio, porque inevitavelmente acabo imaginando.
– Agora, sim! Confia em mim, Francis. Quando você menos esperar, o Mateus vai voltar!
Na verdade, ele foi muito esperto: disse que iria me ajudar a cortar o EVA, mas não cortou nenhuma letrinha e sumiu.
Depois que eu corto algumas letras, acabo caindo no sono e durmo no sofá mesmo. Acordo, mal lavo o rosto e vou para a escola, mas a minha vontade é a de não ir. Chego na sala e, para minha surpresa, todos estão organizados e sentados. O Heitor está me esperando à porta e me entrega um bilhete:

> *Professora, eu sei que a senhora não está bem porque voltou a ser uma profe muito séria. Espero que a senhora melhore logo para poder bagunçar de novo junto com a gente.*

Meus olhos lacrimejam e, antes que as lágrimas comecem a rolar, o Pedro Henrique diz:

— A senhora não está mais namorando? Foi aquele "cara de bunda" da gincana que se separou da senhora? Por isso que a senhora está mal?
— Não, Pedro! Não é por isso. Estou mal por causa de outra coisa, mas vamos focar na aula. Vocês têm um campeonato de soletração para vencer.
— Mas *nóis* é burro, professora, e, com a senhora *zuada*, *nóis* nunca vai vencer! — diz o Pedro.
— "Nós" nunca "vamos" vencer! — eu corrijo.
— Viu só?! Nem a senhora acredita em *nóis*! Como *nóis* vai acreditar?
— Eu estava corrigindo você, Pedro. O correto é "nós nunca vamos", em vez de "nóis nunca vai". E eu confio no potencial de vocês. A profe vai ficar bem, eu só preciso que vocês me ajudem se comportando e fazendo as atividades, que muito em breve eu vou voltar a me divertir com vocês.

Durante a aula, até que eles se comportam, mas logicamente em alguns momentos a bagunça se sobressai. A turma da tarde vai bem arrastada. Na verdade, eu não vejo a hora de chegar em casa. A todo momento, eu fico olhando o celular para ver se o Mateus me desbloqueou, mas nada disso acontece. Mesmo assim, eu fico mandando mensagens; porém, ele nem visualiza. O Miguel também sumiu, e eu penso em mandar uma mensagem para ele, mas me seguro. Com certeza, ainda não seria uma boa companhia para ninguém.

Quando chego em casa, no final da tarde, percebo um barulho vindo lá de dentro. A porta não está trancada, apenas encostada. Será que eu deixei a porta aberta e o meu vizinho psicopata está lá dentro me esperando? Era só o que me faltava! Será que o menino da mochila está aprontando alguma coisa? Mas ele não precisa passar pela porta... Entro bastante apreensiva e falando em voz alta:

– Tem alguém aí? Eu estou armada!
Estou com a pistolinha de cola quente na mão. Eu sei que ela não tem muita serventia, mas pelo menos tem a silhueta de arma, talvez sirva para assustar alguém. Não há ninguém na sala, nem na cozinha. Olho no quarto da bagunça e está vazio; no antigo quarto do Mateus, também não há nada. Chego a olhar até embaixo da cama. Meu Jeová, só faltava o meu quarto. Só faltava o meu vizinho estar nu, me esperando com um prato de torresmo sobre o corpo.

Quando chego lá, não há torresmo, mas um prato com duas coxinhas em cima da cama e um desenho feito pelo Mateus quando era bem pequeno. É uma mulher de palito e uma criancinha de palito, envolvidos por um coração com a frase "eu te amo". Se não me engano, o Mateus fez isso na segunda série. Embaixo desse desenho, tem outro, bem mais bonito. É o mesmo desenho só que extremamente realista. Eu e o Mateus desenhados numa folha e um coração em volta, como se o Mateus tivesse feito aquele mesmo desenho, só que nos dias atuais. Eu olho aquilo e começo a chorar em cima das coxinhas. Olho para a porta do quarto e o Mateus está ali parado, segurando alguns papéis me olhando e chorando.

– Mãe, me desculpa todas as vezes que eu duvidei do seu amor! Eu deveria ter compreendido que todas as vezes que a senhora me corrigia eram uma prova de amor, porque a senhora queria o melhor para mim. Me desculpa, eu não quero nunca mais me afastar da senhora. Por que a senhora nunca me falou o que estava sentindo de verdade? – pergunta isso e me entrega as folhas que estão na mão dele.

São as minhas declarações e desabafos, que escrevo antes de dormir. Todo o meu amor pelo Mateus está declarado naquelas folhas, todos os meus medos, coisas que eu nunca tinha revelado para ele.

— Mãe, quando eu acordei hoje cedo, isso estava na cabeceira da minha cama. Eu também tenho dificuldade de dizer o que eu sinto, por isso que eu fiz esse desenho. Acho que eu puxei isso da senhora: não a capacidade de desenhar, mas a dificuldade de me expressar. A senhora tinha que ter falado essas coisas para mim. Eu morria de medo de não ser amado pela senhora, sempre achei que eu só tivesse te dado desgosto e que a senhora não sentisse nem um pouco de orgulho de mim. Mas, quando eu li tudo isso, percebi que a senhora me ama, só não sabe muito como demonstrar.

— Eu te amo, Mateus! Te amo mais do que tudo nessa vida! Me desculpa se não transmiti isso para você, mas eu estava tentando mudar o meu jeito e ser mais sua amiga, por isso estava mais solta com você!

— Eu percebi que, de um tempo para cá, você estava bem mais legal. Nós até conseguimos estudar juntos. Você me desculpa?

— Claro, filho! Eu não tenho nada que desculpar, estou muito feliz de você estar aqui. Sua companhia é o que eu mais quero nessa vida! Aquelas coisas que você me ouviu falando com seu pai, eu falei da boca para fora. Você nunca foi um erro, mas é que seu pai...

Antes que eu possa terminar, ele me abraça e diz:

— Eu sei, mãe, eu sei! Não vamos mais falar disso. Eu posso fazer uma pergunta para a senhora?

— Claro, meu amor!

— Eu posso vir morar com a senhora? Pelo menos por um tempo.

Eu desabo a chorar. Parece que meu coração vai sair pela boca de tanta felicidade.

— Claro, Mateus, essa casa é sua. Claro que você pode vir morar aqui!

— Mas você não vai me encher de atividades escolares para fazer, né?

— Isso já é pedir demais. Se morar aqui, vai ter que me ajudar!
— Posso perguntar outra coisa?
— Claro!
— Como você vai fazer para pagar os onze mil e quatrocentos reais da escola?
— Vou vender o meu corpinho. Quem sabe alguém quer usar para fazer um chaveiro?! Na verdade, não sei, filho. Vamos dar um jeito.
— A senhora já está melhor, está até fazendo brincadeiras... Essa é a mãe que eu gosto! A mãe brava e que dá coisas para eu fazer pode ficar de fora, nem precisa aparecer.

Quando eu reparo, estamos abraçados e sentados em cima das coxinhas. Caímos na risada e as comemos mesmo assim. É uma mistura de risada com choro e frango com cheddar. Ficamos conversando e relembrando várias coisas do passado. O Mateus fala de várias coisas que o magoaram em relação a mim, todas as vezes que eu chamava atenção dele na frente dos outros, essas coisas. Eu também pontuo todas as vezes que eu fiquei decepcionada com ele e, principalmente, com o pai dele. Sem dúvida, é um momento de cura para nós dois. Antes de ele ir dormir, combinamos que, no próximo final de semana, vamos ver um filme para comemorar a nota nove que ele tirou. Com essa confusão toda, acabamos nem comemorando nada.

Ele se levanta. Está indo para o quarto dele quando me pergunta:
— Mãe, como você conseguiu colocar essas suas anotações no meu quarto? — Ele volta e me devolve as anotações.
— Tem mistérios entre a vida e a morte que você jamais compreenderá, meu filho! Dorme com Deus.

Ele vai deitar. Eu arrumo aquela bagunça de coxinha e guardo aquelas folhas que estão em cima da mesa.

11 Tudo que vai volta

— Quer ajuda? — pergunta o menino da mochila, aparecendo do nada.

Eu nem respondo, continuo juntando as coisas.

— Quer ajuda?

Continuo sem responder.

— Você não está feliz?! O Mateus voltou pra casa. Não era isso que você queria?

Fico calada, termino de arrumar as coisas e vou para o meu quarto. Quando chego, ele já está lá me esperando.

— Francis, eu não estou entendendo você. Era pra você estar feliz. Quer que eu traga o Miguel pra você também?

— Como você vai fazer isso? Vai roubar o meu diário e minhas anotações e levar para ele também? — pergunto para ele, enquanto guardo as anotações numa gaveta chaveada.

— Eu falei para você que iria trazê-lo de volta, e você disse que era o que você mais queria. Falei que iria dar um jeito e você não se opôs.

— Isso não significa que eu autorizei você a mexer nas minhas coisas. Esse diário e essas anotações são meus, somente eu teria o direito de entregá-las para o Mateus. Se eu quisesse, eu mesma teria entregado.

— Mas você não conseguia chegar perto dele, ele nem estava atendendo você! Como faria isso, Francis?

– Não interessa! Não interessa! Eu daria o meu jeito. Se for para me ajudar desse jeito, violando a minha privacidade, prefiro que você não me ajude!

– Francis, eu fiz isso na melhor das boas intenções. Não foi para magoar você!

– Mas magoou. Essas anotações são minhas, fazem parte de mim. Eu nunca mexi nessa sua mochila azul! Já tive curiosidade? Lógico que já! Mas eu te respeito! Você traiu a minha confiança, esse tipo de coisa não se faz! Eu preciso de um tempo para voltar a confiar em você!

– Você não pode negar que, depois que eu apareci na sua vida, as coisas melhoraram. Eu ajudei você a se aproximar do Mateus, te ajudei a se reaproximar e se reencontrar com os seus alunos, sem falar que, sem mim, você deu *like* num cara chamado Amadeu. Te livrei do cara do torresmo... De nada por tudo isso!

– Guri, eu não pedi a sua ajuda! Você que apareceu e se intrometeu na minha vida. Aliás, antes de começar a me ajudar, quase me deixou louca com as suas aparições. Por sua causa, tem gente que me acha *esquilofrênica*. Então não sei se a sua presença na minha vida trouxe somente coisas positivas! Talvez, sem você, eu conseguisse conquistar as mesmas coisas. Eu já dou aula há muito tempo, sempre consegui me virar. Não venha querer me dizer que você me ensinou a lecionar.

– Se você acha que a minha presença na sua vida mais te atrapalhou do que ajudou, então eu acho que não tenho muito mais o que fazer aqui.

– Se for para me ajudar desse jeito invasivo, prefiro que não me ajude e procure outra pessoa!

Eu não obtenho resposta, o menino sumiu. Apesar da minha vontade de procurá-lo, o meu orgulho é maior. Fico parada na cama, lendo as minhas anotações e pensando em tudo que aconteceu. Será que fui muito rude com ele? Ele não tinha esse direito!

Será que os fins justificam os meios? Fico remoendo as coisas; por um lado, eu estou megafeliz porque o Mateus está de volta em casa, mas, por outro, eu não queria que as coisas tivessem acontecido dessa forma. O menino ter aparecido justo no meu momento de raiva não deu muito certo.

Não vou mentir: me levanto um pouco arrependida de algumas coisas que falei para o menino da mochila azul. Tenho uma certa esperança de encontrá-lo, poder conversar novamente e me acertar com ele. Dou uma vasculhada na casa para ver se o encontro perambulando por ali. Meu coração se enche de alegria quando vejo a mochila azul no quarto da bagunça. Entro me desculpando.

– Menino, me desculpa, podemos conversar melhor?

Ele não está ali, apenas a mochila. Junto a ela, há um desenho igual ao que ele me entregou no dia em que nos conhecemos: dois bonecos de palito, um sol e uma árvore. Na mesma folha, está escrito:

> *Me desculpa! Eu não tinha intenção de magoar você. Nós somos enviados para ajudar as pessoas, não prejudicar. Espero que você e o Mateus fiquem bem. Ele é uma excelente pessoa e você, Francis, é uma excelente mãe e uma professora admirável. Eu nunca quis ensinar você a lecionar. Na verdade, eu que teria que aprender com você. Só queria resgatar um pouco do seu jeito divertido. Seu sorriso é muito lindo para ser omitido por qualquer motivo que seja. Adorei poder participar da sua vida. De todas as pessoas que eu já ajudei, você foi aquela com quem eu mais me diverti! Vou quebrar o protocolo e deixar essa mochila azul de presente. Agora você pode matar a sua curiosidade e ver o que tem dentro dela. Seja feliz, Francis! Lembre-se: os seus alunos não precisam de uma pessoa perfeita, eles precisam de você!*
>
> *P.S.: O Miguel gosta de você! Mantenha a Dirce bem cuidada!*

Eu leio o bilhete e começo a chorar. Quero voltar no tempo e não ter discutido com ele. Pego o desenho e guardo-o junto com as minhas anotações. Abro a mochila e há uma porção de torresmo com um outro bilhete:

Venda o torresmo e arrecade dinheiro. Vão faltar só onze mil trezentos e oitenta reais.

Eu vejo aquilo e começo a dar risada. O menino nem na despedida deixa de fazer uma piada. O Mateus se levanta e vai tomar café comigo. Logo que vê a mochila, pergunta:
— De quem é essa mochila?

Eu não posso falar para ele que era de um espírito que falava comigo, então tento ser o mais convincente possível:
— Eu comprei para um aluno meu, ele tem uma situação bem difícil. O coitado não tem nem uma mochila descente, mas é um excelente aluno. O jeito dele até lembra você um pouco. Ele é tímido e gosta de desenhar. A única diferença é que ele é bom em português.

— Ele já tirou um nove em português esse ano? — me pergunta enquanto come e, pouco tempo depois, se despede: — Tchau, mãe! Até depois!

Ele devora a comida e sai correndo de casa, nem retira o prato da mesa. Eu estava com saudade dessa bagunça de adolescente em casa.

Acabo de tomar o meu café voando e vou para a escola. Chegando lá, todos notam a felicidade no meu rosto. É nítida, impossível de esconder. Assim que a Josi me vê, afirma:

— Das duas, uma: ou fez as pazes com o Mateus ou colocou a Dirce para brincar.

— Pela cara dela, fez as duas coisas — arrisca a Mari.

— Vocês me conhecem como ninguém, mas na verdade eu fiz as pazes com o Mateus. Agora ele está morando comigo. Eu realmente estou muito feliz!

— Nossa, amiga, que maravilha! Já não aguentava mais te ver cabisbaixa, com cara de quem tem deficiência de vitamina D. Você estava sem vida, nem brincava mais com a gente. Estava parecendo vegana em churrasco — diz a Josi.

— Veganos podem ir em churrasco e se divertir! — rebate a Marli.

— Ah, eu não iria! Se eu fosse vegana, jamais iria num churrasco. É a mesma coisa que um diabético ir a uma confeitaria, não tem sentido — responde a Josi.

— Quem falou em confeitaria? — pergunta a diretora Carmem.

— Nada, estávamos falando da Francis, que virou vegana — explica a Josi.

— Vegana? É por isso que ela anda tão apática na escola? — pergunta a Carmem, segurando o meu rosto. Eu odeio que toquem em mim, principalmente quando eu não dei intimidade.

— Eu virei vegana, feminista e crossfiteira. Inclusive, se você quiser ir a uma reunião comigo, está convidada. O veganismo é bom porque emagrece — respondo, afastando meu rosto da mão suada dela.

— Eu tenho um excesso de gostosura, não posso emagrecer! Francis, o concurso de soletração está chegando. Como está o desempenho da sua sala? Eu preciso que escolha um capitão para a sua equipe. Ele terá que fazer um texto para apresentar a turma.

— Minha turma está muito empenhada! Nós vamos vencer. Vou pensar em quem será o capitão e passo o nome para você, junto com uma carne de onça de soja, que eu trouxe.

— A carne eu dispenso, me passe só o nome. Se quiser me trazer um pedaço de bolo, aceito. — Ela sai da sala.

Vou até a minha sala, espero todos os alunos chegarem e, então, entro fazendo algazarra. Estou com uma espécie de vuvuzela na mão, gritando:
— Quem é que vai ganhar o curso de soletração da escola?
Eles não respondem nada, ficam me olhando, surpresos, sem entender muito.
— O que aconteceu com vocês? A professora *Francistein* está de volta! Vamos ganhar esse concurso ou não?! Cantem comigo: "Ôôô, o campeão voltou!".
— A *Francistein* voltou *esquilofrênica*! – diz o Pedro Henrique.
— Mas vocês preferem a professora Francis normal, ou a versão *esquilofrênica*?
— *Esquilofrênica*! – eles gritam.
— Então, vamos agitar! Cantem comigo: "Ôôô, o campeão voltou!".
Aos poucos eles vão entrando na onda, a bagunça vai contagiando e todos são contaminados pelo grito de guerra. Depois de muito custo, consigo organizá-los novamente:
— O concurso está chegando, vamos ter que nos organizar para vencer. Nossa primeira tarefa é escolher um capitão. Por isso, eu vou fazer uma votação. O mais votado será o capitão da turma e terá que fazer um texto para nos apresentar no campeonato. Além disso, o capitão vai ganhar essa mochila azul, que significa muito para mim.
Dou um tempo para que eles escrevam num papel o nome do candidato que eles gostariam de ter como representante da sala. Após alguns minutos, recolho os papéis e faço a apuração dos votos. Por uma diferença mínima, Pedro Henrique ganha a eleição. O segundo mais votado é o Heitor – apesar de toda a sua timidez, aos poucos, ele está conseguindo conquistar a turma. Chamo o Pedro para entregar a mochila e nomeá-lo capitão, mas, ao receber o presente, ele diz:

— Meus eleitores, eu agradeço muito a todos que votaram em mim, e todos aqueles que não votaram vão se ver comigo depois, mas eu estava pensando...
— Você pensa? — pergunta o Michael, dando risada.
— Ok! Retomando. Se eu puder contar com a educação de vocês, eu agradeço. Quando um burro fala, o outro fica quieto — responde o Pedro Henrique. Meu Deus, é nítida a evolução dele. Acho que é a convivência com o Heitor.
— Chega! Termine o seu discurso, Pedro Henrique. — Eu tenho que intervir antes que eles discutam mais.
— Então, professora *Francistein*, eu agradeço muito aos meus eleitores, mas eu me *anuncio*...
— "Renuncio"? Você quer renunciar? — eu intervenho.
— Isso mesmo, eu vou fazer isso que a professora falou. Não vou ser o capitão, vou transferir meu posto para o Heitor. Com certeza, eu seria o melhor representante, mas, como tem que fazer um texto sobre a sala, é melhor ele *resumir*. E ele precisa mais da mochila do que eu. A dele está muito feia.
— "Assumir"? Isso que você quis dizer?
— Isso! Professora, por que é que, quando eu não quero uma coisa, é "renuncio" e quando eu quero não é "ressumio"? — pergunta o Pedro Henrique.
— Porque, quando você quer o cargo, você o assume. Heitor, você aceita assumir o título de capitão?
Ele apenas acena que sim com a cabeça e a sala inteira aplaude. Fico muito feliz com a decisão do Pedro Henrique, mas não posso demonstrar muito, porque professora tem que tentar ser imparcial, e isso, às vezes, é tão difícil. Entrego a mochila para o Heitor e ele já passa o material para a mochila nova. Aliás, a bolsa que ele levava para a escola nem podia receber o nome de mochila, está toda surrada; com certeza ele herdou do irmão mais

velho, que herdou de algum primo. Aquela mochila devia estar na família havia várias gerações.

Durante a aula, os alunos começam a confeccionar os cartazes e escrever um grito de guerra. Enquanto isso, o Heitor está focado em produzir o texto de apresentação da turma.

Antes de a aula acabar, peço que eles organizem as cadeiras, usando aquela ameaça básica: enquanto a sala não estiver impecável, ninguém sai. Depois, dou um tempo para que eles escrevam no diário pessoal deles. Ao liberar os capirotinhos, todos saem, menos o Heitor. Ele sai por último e, antes de deixar a sala, me abraça bem forte.

– Muito obrigado pela mochila. Eu adorei, professora, você é a melhor professora que eu já tive.

– Que é isso, Mateus? Não precisa agradecer.

– Mateus? – ele me questiona.

– Desculpa, é que às vezes você me lembra meu filho, e o nome dele é Mateus.

Ele sorri, me abraça mais uma vez e vai embora. É triste ver o Heitor indo com a mochila azul, é a certeza de que o verdadeiro dono dela nunca mais vai aparecer para mim. Confesso que sentirei falta dos sustos que ele me dava... Sem dúvida, eu ter me aproximado do Mateus e dos meus alunos foi mérito dele. Com toda a certeza, o Heitor é a criança mais recomendada para usar aquela mochila, porque ele tem se tornado muito especial para mim e para todos na sala.

A partir daquele dia, ele passa a ser o último a sair e sempre me dá um abraço antes de partir. Apesar de todo o trabalho, eu tenho uma ponta de esperança de que nós ganharemos esse concurso. Meus alunos têm grandes dificuldades, porém os das outras salas também, então estamos todos no mesmo nível.

"Olá! Consegue me desculpar? Att., dona da Dirce".

Aproveito que estou em hora-atividade no período da tarde e mando essa mensagem para o Miguel. Eu já fiz as pazes com Mateus e estou motivada com os meus alunos, então só me resta fazer as pazes com o Miguel (e conseguir onze mil e quatrocentos reais para consertar as coisas). Pouco tempo depois, ele me responde:

"Eu consigo perdoar a Dirce, mas você eu ainda não sei. Gostaria de vê-la, é possível?" "Mas, para ver a Dirce, inevitavelmente, você vai ter que me ver também!" "Eu acho que por ela eu consigo suportar isso!" "Se quiser ver somente a ela, o preço é mais caro."

"Quanto?", ele pergunta.

"Onze mil e quatrocentos reais", eu respondo.

"Nossa! Ela vem com o seu Celta dois mil e quinze junto?"

"Podemos nos ver hoje à noite, então? Tenho novidades boas e ruins para te contar."

"Combinado!", diz ele.

Corro pra casa, mas, antes, passo numa papelaria para comprar uns TNTs e uns EVAs para fazer os cartazes da nossa equipe. Meu Deus, uma folha de EVA está custando mais de dois reais. Desse jeito, eu vou ter que começar a financiar material, ou então vão ter que começar a vendê-los por consórcio.

Chego ao meu apartamento e o Mateus está lá. É tão boa essa sensação de chegar e ter o meu filho em casa. Por mais que ele não interaja muito e fique só no videogame e na internet, a sensação de tê-lo por perto é maravilhosa.

– Filho, hoje a mãe vai receber um crush aqui em casa. Só para você saber, tá bom?

– "Crush"?! Mãe, não combina com você ficar usando esses termos.

– Como não? "Crush", "date", "shuppar", eu sei tudo!

— "Shippar", o termo certo é "shippar" e não "shuppar". Tomara que você não tenha falado "shuppar" para ninguém. Pode ter ficado esquisito você falando eu "shuppo" esse casal. — Ele cai na risada.
— Eu sabia que era "shippar", só estava testando você!
— Sabia nada. Como é maravilhosa a sensação de corrigir você, justo quem vive corrigindo todo mundo. Parece que o jogo virou, não é?!
— Olha, olha! Não abusa, não, que eu já coloco você para cortar uns EVAs e me ajudar a fazer uns cartazes.
— Pede para o seu crush! Vê se não vai shuppar ele, hein!
— Mateus, respeita a sua mãe!

A campainha toca, mas o seu Dirceu não anunciou ninguém. Será que é a Josi? Ou então é o menino da mochila, que voltou! Encho meu coração de esperança e vou atender à porta. Na verdade, vou me fazer de difícil, mas estou disposta a reatar com ele. Estou sentindo falta das suas aparições, e a sua presença me passava segurança. Abro a porta e dou de cara com um buquê de rosas vermelhas e, atrás do buquê, o Miguel.

— Oi! Surpresa! — ele diz e me entrega o buquê.
— Nossa, Miguel... Que lindo, não precisava! Como você subiu direto?
— O seu Dirceu lembrou de mim, me viu com um buquê e me deixou subir para fazer uma surpresa para você. — Pensei em trazer um buquê de flores de EVA para durar mais.
— Se fossem de EVA, você iria levar de volta e dar para a professora do seu sobrinho. Cartaz e bichinho de EVA até vai, mas flores têm que ser naturais. Ah, se um dia eu morrer, você pode mandar flores de EVA para o meu túmulo. Vou estar morta mesmo! Entre, por favor!

Acompanho o Miguel até a cozinha e o apresento ao Mateus, que está procurando comida na geladeira.

— Filho, esse é o Miguel, um amigo meu.

— Amigo que traz flores?! Ou esse é o seu crush? — fala o Mateus, enquanto segura um refrigerante na mão e, com a outra, aperta a do Miguel.

— Boa noite! — responde o Miguel, totalmente vermelho e sem graça.

Fica um silêncio constrangedor no ar, então tenho que intervir.

— Então, agora que vocês já estão apresentados, quem vai me ajudar a cortar os EVAs e montar o cartaz da minha turma?

— O seu crush te ajuda, eu vou jogar videogame. — Ele vai para o quarto.

— Não liga, não. Ele é meio fechado, nunca tinha presenciado outra figura masculina comigo a não ser o pai.

— Tudo bem, eu acho que eu agiria da mesma forma!

— Partiu cortar EVAs? Mas hoje é só cortar mesmo, não vai dar pra rolar em cimas deles.

— Puxa vida! Eu vim louco pra ver a Dirce.

— Hoje a Dirce está em coma induzido, mas prometo que essa semana damos um jeito pra você matar a saudade dela. Eu também estou com saudade do Dudu.

— Dudu?

— Isso... Dei um nome para o seu peru, agora ele chama Dudu. Somos uma dupla, Dudu e Dirce.

— Mas por que Dudu?

— Porque foi um aluno que eu tive. Você não dava nada por ele, baixinho e robusto, mas, na hora da ação, era um excelente aluno.

— Pode parar com isso, eu não vou me sentir bem pensando que o meu coisa tem nome de aluno.

Eu começo a rir e o acalmo:

— Estou brincando! Jamais o chamaria de Dudu, até porque ele se parece mais com Darlysson, um aluno meu que era torto e vivia cabisbaixo.

— Cabisbaixo? Vamos mudar de assunto! Onde estão os EVAs? Vamos cortá-los! — Ele vai saindo da cozinha.

— Estão aqui no quarto. Pode vir aqui, Darlysson.

Ficamos no quarto, rindo e cortando os EVAs para confecção dos cartazes. De vez em quando damos uns beijinhos — porque ninguém é de ferro. Coloco-o a par das fofocas, falo da minha relação com o Mateus, do problema com a escola dele, que o Heitor está se saindo muito bem e nem parece ser a mesma criança do começo do ano. Enfim, ficamos horas conversando; aliás, eu falo bem mais do que ele, quase um monólogo.

O Miguel não sai de casa muito tarde, porque no outro dia a labuta começa bem cedo. Ele se despede de mim e do Mateus e vai embora. Eu estou morta de cansaço, ajeito as coisas, tomo banho e já lavo o cabelo, porque no outro dia quero acordar o mais tarde possível. Mais uma vez, durmo enquanto escrevo no meu diário.

12 Por quê, Deus, por quê?

A minha vida é uma verdadeira montanha russa: uma hora está tudo bem e, de repente, tudo vira de cabeça para baixo. Naquele momento mesmo, eu estou bem com o Miguel, com o Mateus e com os meus alunos, mas estou devendo onze mil e quatrocentos reais e o menino da mochila azul não está mais presente na minha vida. No entanto, é a primeira vez que eu sinto um pouco da segurança de que as coisas vão dar certo.

Os dias se passam e confirmam a minha teoria. Consigo encaixar a minha agenda com a do Miguel e, de vez em quando, deixo ele falar um "oizinho" para a Dirce; o Mateus está indo bem na escola e vamos ver vários filmes juntos; os alunos estão empenhados, fazem um grito de guerra bem legal, e as meninas ensaiam uma dança para apresentar no dia do concurso; o Heitor está empenhado como capitão da equipe, vai de mesa em mesa treinando algumas palavras com os amigos; eu até vou ao banco para pegar um consignado e acertar a dívida com o Francisco Cuoco. Parcelas a perder de vista... Para quem está cagado, o que é um peido? É só fazer uns ajustes que eu consigo pagar tudo. Aprendo que eu tenho que encarar os problemas de frente, mas sempre com uma leveza. Não queria que os problemas me roubem de mim – lição de vida deixada pelo menino da mochila azul.

Nesse período, uma das coisas mais incríveis que eu presencio é a amizade entre o Heitor e o Pedro Henrique. De certa forma, o Heitor está ficando mais descolado com o Pedro, e o Pedro está ficando mais dedicado e empático com o Heitor. Eu achava que uma amizade com o Pedro Henrique jamais pudesse agregar alguma coisa a alguém, mas o Heitor encontrou nele uma possibilidade de ser mais descolado e sociável.

Quando achamos que a vida não pode nos ensinar mais nada, ela vem e nos mostra o contrário. Chego até a pensar em me aproximar da diretora Carmem e estabelecer uma amizade sincera com ela, mas isso é demais para mim. Cada vez que a via, desviava, era mais forte do que eu. Quem sabe um dia isso muda?!

Dia doze de dezembro. Curitiba amanhece nublada. Faltam exatamente seis dias para o concurso e a festa de encerramento da escola. Estou orgulhosa dos meus alunos e, de certa forma, empolgada com a minha postura de professora. A aula acaba e eu corro para a sala dos professores. Estou morrendo de pressa e acabo saindo sem o abraço do Heitor. Bem nesse dia, a Josi vem conversar comigo.

— Francis, amanhã, se eu precisar, você pode dar um *help* na minha turma?

— Claro, Josi, você tem algum compromisso?

— Amanhã não, eu tenho hoje, guria. Acredita que eu vou sair com um Amadeu que eu conheci no Tinder?

— Jura, Josi? Você está brincando, não é?

— Lógico! Estou enchendo o seu saco. Você acha que eu sairia com um Amadeu? Você é a única pessoa no Tinder que eu conheço que dá *like* em um Amadeu.

— Sai fora, guria, me fala a verdade.

— Então, guria, vou sair com um boy aí, mas não fala nada para ninguém, nem para a Mari nem para a Marli.

— Nossa, por que não? Eu conheço?

— Não! Ele não, você conhece o filho dele.
— Josi, eu não acredito! Você vai sair com um pai de aluno?
— Isso, Francis, fala mais alto. Por que você não toca a sirene da escola e anuncia para todo mundo de uma vez?
— Desculpa, amiga, eu me empolguei. Você vai sair com um pai de aluno? Me fala!
— Não! Você está louca?! Vou sair com o tio de um aluno, com o tio do Cauê.

Nesse momento, um silêncio toma conta da conversa. Eu fico olhando para a cara da Josi e assimilando aquela informação.
— Ué, mas o tio do Cauê é o Miguel! Você vai sair com o Miguel? — Eu estou tremendo, suando frio. Não é possível que esteja sendo traída pelo Miguel com a minha melhor amiga. A Josi só baixa a cabeça e não fala nada. — Fala, Josi, pelo amor de Deus! — Nesse momento, eu já estou quase chorando.
— Lógico que não, amiga, foi só uma trollagem com você. Sua cara foi ótima! — Ela quase se mija de tanto rir.

Eu tenho que pegar um copo de água na sala dos professores de tanto que estou nervosa.
— Calma, amiga, calma! Eu vou sair, mas não é com nenhum parente de aluno, não, está amarrado! Você acha que eu quero aumentar o vínculo com os capirotos? Eu vou sair com o Renan, o professor de história.
— O Renan? Gordinho? Narigudo?
— O Renan, isso mesmo, charmozinho e barbudo. Vamos nos encontrar num barzinho hoje. Sempre tive uma quedinha por barbudinhos, ele não usa jaleco e, além de tudo, tem umas tatuagens. Meu número, guria!
— Mas como vocês se aproximaram?
— Ah, eu sempre trocava uns olhares com ele, aí, outro dia, acabou o pó de café da sala dos professores, e eu estava louca para tomar um café. Guria, ele viu meu desespero e trouxe um

café da cantina pra mim. Aí, conversa vai, conversa vem, estou aqui com a Dirce lisinha e pronta para receber o pau-brasil dele.
— Ai, Josi, você não existe, guria! Claro que eu te ajudo. Vou correr agora porque eu estou com pressa. Boa sorte, amiga!
Saio correndo da sala dos professores e encontro a inspetora Mara, que está me procurando.
— Francislene, Francislene!
— Francislena, com "A" no final, mas pode me chamar de Francis — eu a corrijo.
— Então, tinha um aluno seu te procurando. Um pequenininho, com uma mochila azul. Ele disse que queria dar tchau para você, mas eu acho que ele não te achou e foi embora. Acabei de vê-lo correr para o portão da escola.
— Obrigada, Mara, eu vou atrás dele. Quem sabe eu o encontro?

Por um lado, eu quero ir direto para o estacionamento, mas por outro eu não posso ir embora sem me despedir do Heitor. Todo dia ele me dá um abraço antes de ir e ficou me esperando — isso significa que esse abraço é importante para ele.

Vou atrás dele pelo portão principal da escola e, quando chego na calçada, há um aglomerado de gente. Com muita dificuldade, vou passando pelas pessoas e pedindo licença. No meio da multidão, reconheço o Pedro Henrique sentado no chão, chorando sem parar. Ele está sendo acalmado pelo inspetor da escola. Chego até ele e pergunto:
— O que houve, Pedro Henrique?

Ele não tem condições de falar, só sabe chorar. Até penso em pedir para ele engolir o choro, mas eu percebo que a coisa é séria. Me abaixo, abraço-o bem forte e falo:
— Pedro, eu estou aqui, calma! Me fala o que aconteceu. Calma, respira, me fala. O que aconteceu?

Em meio ao choro e uma fala gaguejada, a única que eu entendo é:
— Ele me salvou! — Em seguida, ele aponta para a direção oposta à que estamos.

Me levanto, vou caminhando para lá e avisto, entre o aglomerado de pessoas, o que parece ser um carro na calçada. Vou me aproximando mais e vejo uma mochila azul com alguns rasgos caída do lado do paralama esquerdo do carro. Mesmo suja e rasgada, consigo reconhecê-la: a mochila azul do Heitor. Naquele momento, minhas pernas amolecem, minha pressão baixa e eu não sei se avanço ou volto para trás. Com muito medo e angústia, ando em direção à mochila. Parece que o tempo fica em *slow motion*, tudo devagar. Eu não estou controlando as minhas pernas direito, elas pesam uma tonelada. Quando chego perto do paralama, olho para frente e vejo uma criança caída, metade do corpo dela embaixo do carro e a outra metade à frente dele. Olho com mais atenção e não tenho dúvidas: é o Heitor. Eu corro ao encontro dele, jogo os meus materiais e minha bolsa no chão, me ajoelho ao seu lado e começo a gritar:
— Heitor! Heitor! Alguém ligue para a emergência! Gente, façam alguma coisa! Liguem para a emergência! Heitor, acorda! Heitor, é a profe Francis que está aqui! Heitor, você queria dar um abraço na profe?! Então levanta para me dar um abraço! Heitor!

Eu, sem pensar, o tiro de baixo do carro, sento no chão, o coloco sobre o meu colo e fico chamando para ver se ele volta.
— Heitor, acorda! Heitor! Sou eu! Acorda, você é o nosso capitão. Tem uma sala inteira esperando você! Heitor, a nossa turma precisa de você, eu preciso de você!

Ele não me responde, está inconsciente e com um ferimento na cabeça. Eu tento acordá-lo, mas nada adianta, e as pessoas paradas me olhando. Como assim, paradas? Ninguém faz nada?!

— Façam alguma coisa! Chamem a polícia! Não fiquem parados. O Heitor está machucado! Pelo amor de Deus! Façam alguma coisa! Liguem para a avó dele, chamem a ambulância. Ele tem que ficar bem!

Eu não estou raciocinando direito. Na verdade, eu não me lembro de mais nada. Só me lembro da Josi me abraçando e me acudindo. Depois disso, eu apaguei. Quando acordo, estou numa enfermaria adaptada da escola. Abro os olhos e a Josi está ao meu lado. Ela me olha e não me diz nada.

— Chamaram a ambulância? O Heitor está bem? O que aconteceu?

Ela não me responde nada, vem andando em minha direção e segura a minha mão, com os olhos lacrimejando.

— Me fala que não é verdade! — imploro a ela.

A Josi não me responde nada, apenas confirma com a cabeça.

— O Heitor está bem, Josi? Ele foi para o hospital? Me fala que ele está bem, por favor!

Por mais que, lá no fundo, eu saiba da verdade, não quero acreditar. Aquilo não entra na minha cabeça. Prefiro acreditar que foi alguma pegadinha, uma brincadeira de mau gosto dos meus alunos, que eles vão entrar na minha sala rindo e tirando sarro de mim.

— Ele se foi, Francis. O Heitor se foi! — diz a Josi.

— Não, Josi, não é verdade. Ele estava comigo agora há pouco, não pode ser! Josi, ele ficou esperando para poder me abraçar igual fazia todos os dias. Ele ficou me esperando, Josi! Se eu não tivesse saído correndo, eu o teria abraçado, o Heitor estaria vivo, ele estaria vivo! Ele morreu por minha causa, Josi!

— Não fala isso, amiga! Não fala isso! Infelizmente, tem coisas que fogem do nosso controle.

— Mas eu tinha a obrigação de esperá-lo. O Heitor era minha responsabilidade.

– Ele era responsabilidade de todos nós e a culpa não foi sua, foi de quem o matou.

A diretora Carmem chega para verificar como eu estou. Pela primeira vez, noto uma preocupação real da parte dela.

– Você está bem? – ela pergunta.

– Não! Eu não estou nada bem! O Heitor morreu por minha causa! – Começo a chorar desesperadamente.

– Não fala uma besteira dessas, menina. Ele morreu por causa de um motorista louco e bêbado que invadiu a calçada. Foi por Deus que ele não matou vários alunos. Era para o Pedro Henrique ter sido atropelado também, mas, quando percebeu que o carro estava vindo, o Heitor o empurrou para longe. O Pedro Henrique está em estado de choque e não para de falar que o Heitor o salvou.

A sala em que nós estamos se enche de gente, todos querendo saber como eu estou. A Josi permanece abraçada comigo o tempo todo. Pouco tempo depois, chegam a Mari e a Marli e me abraçam também.

– Francis, vá para casa e tire o tempo que precisar. Fique tranquila que nós vamos dar um jeito aqui – diz a diretora Carmem.

Eu tenho que concordar com ela: a melhor coisa para fazer é ir para casa. Ligo para a escola da tarde e aviso o que aconteceu e que eu não conseguirei trabalhar. As gurias me acompanham até em casa para que eu não vá dirigindo sozinha. Assim que chego, abraço o Mateus e desabo com ele. Fico lembrando que o jeitinho do Heitor era bem parecido com o dele, conto o que aconteceu e ele fica muito abalado, até renuncia ao videogame para ficar comigo. Demoro para pegar no sono. Tenho que tomar alguns remédios e, no meio da madrugada, apago.

Os próximos dias são uma tormenta, não consigo tirar o Heitor da minha cabeça. É inconcebível a ideia de entrar na sala de aula e não o encontrar com a mochilinha azul, tímido, meio introspectivo, sempre focado, justo agora que ele tinha se tornado o capitão da equipe. Não entra na minha cabeça que ele não vai escrever seus textos maravilhosos. É muito injusto. Por que ele? Ele sempre estava disposto a ajudar todo mundo, tanto é que deu a vida para salvar o Pedro Henrique. Lá no fundo, eu me sinto culpada, nada me tira da cabeça que eu deveria tê-lo abraçado; assim, ele teria saído mais cedo e nada disso teria acontecido. Ele só morreu porque ficou me esperando. Eu não tenho vontade de fazer nada, exatamente nada. Às vezes fico olhando para o sofá na esperança de ver se o menino da mochila azul voltava para a minha vida; quem sabe ele pode usar os superpoderes para trazer o Heitor de volta? Aguardo durante vários dias, mas nada dele aparecer.

Eu não tenho a menor vontade de voltar à escola. As meninas vêm em casa várias vezes para tentar me motivar, o Miguel se mostra um querido comigo, até o Mateus percebe que eu estou mal e faz o possível para me ajudar, mas nada parece adiantar.

Eu fico lembrando aquela cena, vendo o Heitor caído, a mochila azul rasgada no canto, e uma tristeza profunda toma conta de mim. O Heitor era um menino com uma capacidade incrível e tinha um futuro brilhante pela frente, que foi interrompido de uma maneira injusta. Eu acho que era por isso que eu nunca me apegava muito aos alunos. Talvez fosse uma estratégia de defesa: na verdade, eu não queria me machucar quando eles saíssem da minha vida! Em determinados momentos eu chego a me questionar: "será que não estou sendo muito egoísta? Pensando apenas na minha dor, no meu sofrimento?". Esse luto, estendido e profundo, está carregado de remorso. Eu me sinto culpada por tudo que aconteceu, não tenho coragem de enfrentar os outros alunos, nem a avó do Heitor. Todo mundo na escola sabe que ele havia ficado me esperando. É inevitável associar a morte dele a mim.

13 Luzá

Dia dezessete de dezembro. Acordo e o Mateus já saiu de casa. Eu estou dormindo demais, efeito dos remédios fortes que estou tomando. O bom de ser professora é que os calmantes nunca faltam; sempre tem estoques e mais estoques. Ainda bem, porque eu não quero sair de casa nem para ir à farmácia.

Falta um dia para o concurso de soletração e a festa de final de ano da escola. O Heitor seria o capitão da nossa sala, e com ele nós teríamos grandes chances de vencer a competição, mas sem ele as nossas chances são mínimas.

Sempre que eu abro o celular, há várias mensagens das minhas amigas enfatizando que sentem minha falta e que estão com saudades, tentando me motivar. Mas eu perdi a esperança. Pior, perdi o motivo pelo qual eu lecionava: a esperança em dar um futuro melhor para os meus alunos. Quando eu achei que estava conseguindo mudar efetivamente a vida de uma criança, ela foi impedida de viver. Então, todo o meu esforço foi em vão. Lá no fundo, eu sei que é errado pensar assim, que isso é uma muleta para eu não encarar os problemas de frente, mas eu não tenho forças. Aquela Francis divertida e meio louca tem dado vez a uma pessoa triste, cabisbaixa e refém dos medicamentos.

O dia está nublado, muito parecido com o dia da morte do Heitor. Passo o tempo fazendo vários nadas e dormindo. Estou assistindo à TV e cochilando, ao mesmo tempo, quando escuto a campainha tocar, mas não vou atender. Penso que, se for urgente, vai tocar de novo, mas isso não acontece. Por isso, não atendo e cochilo novamente no sofá. Sonho que o Heitor está na rua, brincando de soletrar com as outras crianças, mas, quando ele me vê, corre para longe de mim e, por mais que eu corra atrás, não consigo alcançá-lo. Levanto do sofá, suando, e vou até a cozinha para tomar mais um calmante, mas antes chego até a porta da sala. A campainha tocou faz um bom tempo e eu ignorei, mas poderia ser o menino da mochila azul, ou o Miguel. Diante dessa possibilidade, sinto uma vontade de verificar. Abro a porta e, obviamente, não vejo ninguém. Porém, quando olho para baixo, encontro a mochila azul do Heitor no chão. As minhas pernas bambeiam. Que brincadeira de mau gosto! Quem iria fazer isso comigo? Trazer essa lembrança à tona... Já não bastava a minha depressão? Queriam esfregar isso na minha cara?!

Fico olhando para a mochila, mas não tenho coragem de fazer nada. Começo a chorar e, numa atitude impulsiva, me abaixo no batente da porta e olho para a mochila bem de perto. Ela ainda tem alguns fios de cabelo do Heitor, alguns fiapos de blusa. Eu não aguento, pego-a, abraço-a bem forte, começo a chorar e a me desculpar com o Heitor.

– Desculpa, Heitor! Desculpa, a profe não foi abraçar você! Se eu pudesse voltar no tempo... Ah, como eu queria te abraçar agora. Não consigo voltar à escola sabendo que você não vai estar lá! Heitor, me perdoa. Por minha causa a sua avó não vai ver o adulto maravilhoso que você iria se tornar, meu assistente preferido. Você conseguiu dar jeito no Pedro Henrique, o que eu nunca teria conseguido fazer. Você seria o capitão da turma amanhã, seria lindo você lendo o texto de apresentação, com certeza seria um texto maravilhoso. A escola ia conhecer a criança incrível que você é, mas por minha causa você não vai poder experimentar isso, desculpa! Me perdoa, Heitor, onde quer que você esteja! Perdão! Eu sinto a sua falta!

Choro, choro e choro. Neste momento, o meu vizinho abre a porta e fica me olhando sentada no batente da porta, abraçada a uma mochila. Ele chama o elevador e não fala nada, fica só me olhando de canto de olho. Se fosse em outra situação, eu provavelmente entraria imediatamente, morrendo de vergonha. Mas eu não estava nem aí. Pela primeira vez na vida, em vez de me declarar e expor meus sentimentos para uma folha de papel, eu estou fazendo isso para uma mochila. É um momento de cura; minha alma tem urgência por isso. Ou eu grito para fora de mim ou vou ficar louca. Preciso desabafar, faz parte do luto.

Depois de ficar ali por um tempo indeterminado, abraçada àquela mochila, resolvo abri-la para ver se tem algo dentro. Fecho a porta, vou até o meu quarto da bagunça, sento-me no chão e a abro. Papéis, tem vários papéis. São folhas de caderno dos meus alunos, as anotações que eu peço para eles fazerem no final de todas as aulas. Mesmo comigo distante, eles continuam com esse hábito. Eu começo a ler e desabo mesmo, choro igual a uma criança em meio à bagunça de EVAs, TNTs e atividades pedagógicas. Não são simples anotações, são declarações de amor dos meus alunos; de todos, sem exceção. É a primeira vez que eu não ligo para os erros de português, e sim para o significado das palavras.

Hoje fazi três dias que o Heitor se foi, e a professora Francis não veiu mais pra escola, estou com saudade deles, queria que eles voltasse para a nossa turma.

Nicolas

Não é a mesma coisa cantar o grito de guerra sem a prefessora Francis, estou com saudades dela, ela é muito legal, no começo ela era chata, mais depois ficou legal.

Mariane

Sem a professora Francis agenti não vai conseguir ganhar essa competissão, só qeria que ela voltasse para a sala de aula.

André

Minha mãe perguntou por que eu estou tão triste, eu disse que era por causa da morte do Heitor, mas eu também estou muito triste porque a professora Francis está triste e não veio mais dar aula para a gente.

Kettilyn

Eu quero ser professora, vou ser igual a ela quando eu for grande, só que ela não é muito grande. Te amo, prof Francislene.

Cinthya

O Heitor ajudava a gente a escrever melhor, ele era um amigo muito legal, eu estou muito triste que ele morreu, em todas as lições ele me ajudava, estou triste que a Prof. Francis está doente, eu queria faltar também, porque não tem muita graça vir pra escola e não ver a professora e nem o Heitor, mas minha mãe não deixa eu faltar.

Kaue

Eu estou com raiva da professora, não porque o Heitor morreu, eu estou com raiva porque ela abandonou a gente, e agora colocaram uma professora bem chata e feia no lugar dela, essa professora nem faz o grito de guerra.

Wellington

Chata! Francistein é uma chata, ela só sabia me xingar, mais depois a gente ficamos amigos e eu também fiquei muito amigo do Heitor. Ninguém sabe, o Heitor salvou a minha vida, antes do carro vir ele me empurrou e o carro matou só ele. Eu

241

fiquei muito triste porque perdi um amigão, e era uma pessoa que eu nem gostava, igual a professora, eu também não gostava dela, mais hoje eu gosto. Essa professora nova não deixa eu chamar ela de Francistein, ainda bem que as aulas estão acabando porque não sei se quero voltar pra escola. Queria que o Heitor voltasse pra sala, ele fazia as lições para mim, e queria que a chata da professora voltasse também, agora só de raiva eu bato nos outros alunos. Acho todo mundo chato.

Pedro Henrique

Leio e releio todos os bilhetes e anotações dos alunos. Só então eu percebo que não posso olhar só para a minha dor, que eles também estão sofrendo. Mesmo assim, mesmo que obrigados pelos pais, eles estão indo à escola, não resta outra opção para eles a não ser continuar.

O Heitor sempre os ajudava com as lições, mas, infelizmente, ele nunca mais vai aparecer na escola; porém, eu tenho a possibilidade de voltar lá e continuar cumprindo a minha missão de tentar ensinar, por mim e por ele. Era isso que o Heitor esperava de mim, que eu continuasse o meu trabalho. Se eu quero reparar as coisas, esse é o melhor a ser feito.

Eu sempre encontrei refúgio e conforto num pedaço de papel e nas palavras, mas dessa vez são os papéis que estão me resgatando do fundo do poço. Bem que o menino da mochila azul me falou que eu poderia aprender algo com os meus alunos. Desta vez, eu aprendi que, mesmo sofrendo, você tem que continuar; mesmo que obrigada, a vida continua e nós não podemos abandonar a nossa missão. Mas quem será que deixou essa mochila em casa? Será que foi o menino?

– Foi você, né? Foi você! Eu sei que você está me ouvindo, mesmo depois de eu te expulsar da minha vida. Você não desistiu de mim. Apareça, seu espírito, eu sei que foi você!

Eu grito isso na sala de casa, porque tenho certeza de que ele está me ouvindo. Guardo os bilhetes, vou avisar as minhas amigas e a diretora Carmem que eu estarei presente no último dia de aula e, antes que eu consiga, há uma mensagem da Josi no meu celular.
"Leu os bilhetes?"
"Josi? Foi você que trouxe a mochila até em casa?"
"Fui eu quem levou a mochila com os bilhetes, guria, mas isso não foi coisa da minha cabeça."
"Quem teve essa ideia? Eu li os bilhetes e quase morri do coração. Tirando alguns erros de português, os meus alunos quase me mataram. Eu não posso abandoná-los, nunca imaginei que eles fossem sentir tanta coisa assim por mim. Eu sempre os incentivei a escrever, a colocar no papel o que estavam sentindo, mas eu nunca imaginei que a maior beneficiada por isso seria eu. Guria, as palavras têm poder, ler esses bilhetes foi uma cura para mim. Parece que a cada bilhete que eu lia, sentia o abraço de um aluno. Percebi que eles também sentem a falta do Heitor, mas de alguma forma temos que continuar. Obrigada, amiga, eu achei que tivesse sido o espírito que tivesse deixado isso na minha porta."
"Guria, você acertou! Acredita que a entidade mirim apareceu para mim, justo no dia em que eu estava com o professor de história em casa? A gente estava bebendo lá e ele acendeu um cigarro de maconha. Professores de história, sabe como é, né? Menina, eu dei uma tragada, fiquei doida, o professor apagou do meu lado e de repente eu vi uma criança com uma mochila azul passando pela cozinha. Eu achei que era coisa da maconha, mas depois apareceu de novo. Eu quase morri do coração a hora que a entidade começou a conversar comigo. Oh, menino desgraçado que gosta de dar susto na gente! Depois o espírito se apresentou e disse que tinha uma ideia para tentar ajudar você. Como eu estava te substituindo alguns dias, ele sugeriu que eu motivasse os

alunos a escreverem o que estavam sentindo, porque você fazia isso com eles. Depois ele sugeriu que eu colocasse os bilhetes e levasse para você dentro da mochila do Heitor, que estava guardada lá na escola. Guria, me perdoa, mas eu li os bilhetes e essas crianças te amam. Você não pode abandoná-los."

"Eu sei, amiga, por isso que amanhã eu vou na escola, vou avisar a diretora Carmem, mas não avisa ninguém, que eu quero fazer uma surpresa para eles."

"Combinado, guria, estou tão feliz por você! Vai ser lindo ter você de volta com a gente. Guria, eu tive uma ideia. Por que, em vez de chegar no começo da aula, você não chega no horário de apresentação da sua turma? Nem avise ninguém, guria, nem a diretora, faça uma surpresa!"

"Você acha melhor, Josi?"

"Claro, guria. A hora que os seus alunos virem você, vão ficar loucos!"

"Então fechou, amiga! Mas não avise ninguém. Vou preparar algo para falar para eles. Até amanhã."

Tomo um banho, dou uma ajeitada no quarto da bagunça, lavo a louça e preparo um discurso bem bonito para homenagear os meus alunos. Quero deixar claro o quanto eles são especiais para mim. Não aviso ninguém que eu vou voltar, apenas o Miguel.

"Oi. Venho, por meio desta, informar que, depois de um longo período obscuro, estou de volta. Amanhã eu e a Dirce voltaremos para a escola."

"Que bom, Francis! Fico feliz por você! Sabia que a qualquer momento você iria voltar. Seus alunos vão ficar muito felizes. Eu posso te levar? Não queria que você dirigisse, por enquanto, até você ficar cem por cento."

"Olha, eu vou aceitar, eu iria de aplicativo, mas, como estou pagando uma dívida de onze mil e quatrocentos reais, essa carona já ajuda na minha vida financeira. Amanhã pode passar aqui por volta das oito horas. Eu quero chegar um pouco mais tarde, para fazer uma surpresa para eles."

"Combinado! Sete horas eu passo aí para dar um tapa na Dirce e depois nós vamos!"

"Ahahahahah... combinado, ela até mexeu aqui!"

"Você está melhor mesmo, Francis, está até brincando. Isso é bom! Estou muito feliz de ter você de volta!"

"Obrigada por tudo, Miguel. No pouco tempo em que você me conhece, já passou por poucas e boas. Se fosse outra pessoa, já teria desistido de mim, mas você esteve sempre disposto a me ajudar, e eu espero poder retribuir isso e apoiar você também!"

"A vida do seu lado é uma loucura, e acho que foi isso que me atraiu em você. Cada dia é uma aventura diferente. Entre um Rivotril e outro, a gente vai superando as coisas. Francis, pode contar comigo sempre!" Ele me manda um coraçãozinho.

O Mateus chega em casa e percebe que algo aconteceu. Eu andava com a mesma roupa o dia inteiro e, dessa vez, estou com uma vestimenta mais digna e com uma cara mais corada.

— Nossa, mãe, aconteceu alguma coisa?

— Aconteceu, sim! A mãe teve um puxão de orelha da vida, percebeu que precisa acordar e seguir em frente, e é isso que eu vou fazer. Amanhã é o último dia de aula e eu vou voltar à escola para ver os meus alunos.

— Que bom, mãe, eu fico feliz por você! Pena que eu não tenho uma boa notícia para te dar — diz ele, cabisbaixo no sofá.

— Meu Deus, quando a vida me dá um ânimo, imediatamente já vem um balde de água fria. O que aconteceu, filho?

— Saiu a nota final de português. Me desculpa, mãe, eu jamais iria querer decepcionar você, ainda mais sabendo de todo o esforço que você fez para *mim* continuar na escola — ele fala isso e me entrega um envelope.

– Em primeiro lugar, o correto é "para eu continuar". "Eu", Mateus, "mim" não faz ação, já falamos disso várias vezes! É por isso que você vai mal em português, esquece as coisas e é muito desligado – eu digo isso enquanto abro o envelope tremendo de tanto nervoso, e o Mateus está olhando para a minha cara, sorrindo. – Eu estou aqui, nervosa, corrigindo você e você fica rindo, Mateus? Isso não tem graça. Você tinha que estar chorando. Olha essa nota, filho, nove e meio. Como você me tira nove e meio?... Nove e meio?! Filho, você tirou nove e meio?! Nove e meio?! Eu não estou acreditando, nove e meio?! Então você passou direto?

– Aham, eu só queria dar um susto em você. Eu consegui, mãe, deu tudo certo!

– Nossa, eu demorei para assimilar que era um nove e meio, quase que você me mata do coração. – Eu vou ao encontro dele, dou um abraço bem forte e, obviamente, começo a chorar em seu ombro. Não sei de onde saem tantas lágrimas; nesses últimos dias, eu estou chorando mais que as crianças no maternal. – Filho, eu te amo e faço tudo para que você tenha um futuro promissor. Eu te amo mais do que tudo nessa vida! Estou tão orgulhosa de você! Me surpreendi, achei que tiraria no máximo um oito na prova final, mas nove e meio... Você não colou, não, né?

– Mãe!

– Brincadeira, filho, eu te amo. Mesmo que você tirasse um na prova, eu iria continuar te amando. Iria te bater? Sim, iria, mas com todo o amor do mundo!

Eu jamais vou esconder o que eu sinto pelo meu filho, mesmo que o meu jeito de amar seja meio torto e imperfeito, mas é o meu melhor. Meu amor é cheio de falhas, mas com certeza é verdadeiro, e todas as vezes que eu errei com o Mateus foram na intenção de acertar.

Celebramos muito a nota dele e depois tomamos um belo de um café. Como de costume, depois do café, Mateus segue para o quarto para jogar videogame. Eu não pego no pé dele; afinal, ele passou de ano e pode jogar à vontade, pelo menos por enquanto. Antes de dormir, releio o discurso que eu fiz para falar para todos os meus alunos. Quero que eles saibam que eu estou extremamente orgulhosa da dedicação de cada um deles, que eu sinto muito pela morte do Heitor e que, se estou voltando para a sala de aula, é mérito deles, que me ajudaram a voltar a acreditar na educação. Sem dúvidas, eu quero que eles me perdoem pela minha covardia, porque, quando eles mais precisaram de mim, me afastei e só me atentei às minhas dores e fragilidades.

Depois de revisar o texto, durmo sem a ajuda de nenhum medicamento, algo que há muito tempo não acontecia. Coincidentemente, nessa mesma noite, eu sonho que estou num lugar muito bonito, um jardim enorme, com as mais variadas flores e uma árvore igual à do desenho do menino da mochila azul; um lugar lindo, que me traz paz. Avisto duas crianças vindo em minha direção e não acredito: são o Heitor e o menino da mochila de mãos dadas. Eu corro ao encontro deles e abraço o Heitor com toda a minha força; é como se eu pudesse sentir o abraço dele de verdade.

– Você foi a melhor professora que eu tive – diz ele.

– Mas eu não te abracei no último dia... – falo, angustiada.

– Eu sei! Mas você me abraçou todos os outros dias, todos. Não se sinta mal, não fique enfatizando o dia em que você não me abraçou. Lembre-se de todos os outros dias em que nós nos abraçamos.

– Mas, Heitor, você morreu por minha causa!

– Não, professora *Francistein*, por sua causa eu vivi. Por sua causa, eu encontrei um motivo para ir à aula. O seu abraço não me matou, ele me deu mais vida!

– Para de discordar do Heitor, *Francistein*. Abrace-o logo e acorde, porque a sua aula vai começar e os seus alunos estão te esperando! – diz o menino da mochila azul, parado ao lado do Heitor.

— Você me perdoa também? Eu fui muito grosseira com você.
— Eu não! Só vou te perdoar se você sair com o Amadeu! Brincadeira, Francis, claro que eu te perdoo. Não te disse que você poderia aprender com os seus alunos? Da mesma forma, eu também aprendi com você. Espero não ter que descer nunca mais para ajudar outra professora, vocês são muito doidas! Vou sentir saudade das nossas loucuras. Agora, chega de falar, você tem uma sala inteira te esperando!

Nós nos abraçamos bem forte; o menino da mochila azul me entrega um papel, pega o Heitor pelas mãos e vai caminhando com ele. Antes que ele possa sumir no horizonte, grita:

— Não se preocupe, agora quem vai cuidar do Heitor sou eu!

Acordo chorando, suada, impressionada com o sonho, que parecia tão real. Demoro para assimilar essa experiência. Quando olho, há um desenho ao lado da minha cama, o mesmo que o menino me entregou na primeira vez que eu o vi, mas, desta vez, além das nossas figuras de palito, tem mais um bonequinho ao lado. Parece ser o Heitor. Atrás de nós, o sol e uma árvore, embaixo do desenho, um recado:

O Heitor vai ficar aqui comigo, no céu, esperando pelo seu abraço! E nós sabemos que não vai demorar muito, porque você não é mais uma mocinha! Estamos ansiosos para te encontrar! Nós te amamos! Vai lá, tem uma sala te esperando!

Ass: Os meninos da mochila azul!

Adivinhe o que eu faço? Choro, choro e choro. É o perdão de que eu precisava para seguir a vida. Fico aliviada ao saber que o Heitor está bem e que tem alguém cuidando dele. Eu abraço aquele bilhete, leio novamente e começo a rir. Mesmo diante das situações de dor, o menino da mochila azul sempre extrai uma piada. Depois de toda essa experiência maluca, eu já estou bem mais calma. Levanto-me, tomo banho, me produzo e tomo um belo café. O Mateus levanta também e diz com a cara de sono:

– Mãe, posso ir com você? Eu queria ver como vai ser o seu reencontro com os seus alunos.

– Claro, filho, se arruma rapidinho que estamos atrasados.

– Nossa, mãe, você está linda! Aconteceu alguma coisa?

– Segredo! Digamos que eu dormi com os anjos. Agora se arrume que nós estamos atrasados.

Na verdade, não estamos, mas eu boto uma pressão porque, se depender do ritmo dele, a gente vai chegar na escola depois que a aula já tiver acabado. Pego a mochila azul, retiro dela os bilhetes e guardo. Vou entregá-la para a avó do Heitor e, caso ela não queira, deixar na escola em homenagem a ele. Essa mochila é muito especial para ficar em casa. Foi com ela que o *espíroto* apareceu na minha vida, e depois o Heitor a herdou e honrou, o que fez dela ainda mais especial. O Miguel passa em casa conforme o combinado e então vamos para a escola.

Chego lá acompanhada do Miguel e do Mateus, desço do carro e fico parada, olhando o local onde foi o acidente. Inevitavelmente, a cena do Heitor caído vem à minha mente. Eu chego a travar, abraço a mochila azul e, por um momento, penso em desistir e voltar para trás. Nessa hora, o Mateus segura uma das minhas mãos e o Miguel pega a outra. Eles me olham, apertam minhas mãos, sorriem para mim e dizem:

– Vamos, juntos! Em família!

Fazia tempo que eu não ia a uma escola com essa sensação, realmente parece que estou amparada pela minha família. Seguimos em frente e vamos em direção à quadra, onde está sendo realizado o concurso de soletração. Antes que eu chegue lá, a Marli vem correndo ao meu encontro e diz:

– Calma, não vai ainda, espera que a sua turma está subindo ao palco.
– Tá bom, a hora que eu puder ir, você me avisa!
Eu estou aflita, tremendo, coração palpitando. Parece que eu estou recomeçando na educação, que vou pegar a minha primeira turma e não tenho a menor ideia do que e como fazer. Mas, assim como na primeira vez, o importante é fazer sem medo de errar; afinal, só erra quem se arrisca, e eu vim para essa vida para poder arriscar e ser feliz. É minha missão: tentar fazer os meus alunos se arriscarem também!
– Venha, pode vir! – Sinaliza a Marli com a mão.
Eu, juntamente com o Mateus e o Miguel, de mãos dadas, sigo em frente. Nem parece que está acontecendo um concurso; está um silêncio profundo. Será que os alunos não vieram? Ou então deram Dramin para eles? Não é normal esse silêncio, principalmente em se tratando de um evento extraclasse – eles ficam terríveis no regime semiaberto. Quando saem da sala, ficam histéricos e começam a correr e gritar sem parar.
Entro na quadra e não acredito no que está acontecendo: todos os alunos de pé na arquibancada da escola, segurando um papel e usando uma faixa azul no braço em homenagem ao Heitor. Os meus alunos estão em cima do palco e todos usam uma mochila azul, todos! Até a diretora Carmem. Meu olho se enche de lágrimas, o Miguel aperta a minha mão e eu caminho lentamente pela quadra. As outras turmas estão em silêncio, me olhando, enquanto eu passo bem devagar na frente delas. Olho detalhadamente para cada aluno, chego no palco e me emociono ao perceber que até as minhas amigas estão de mochila e faixas azuis – menos a Josi, que está usando uma mochila azul e uma faixa rosa. Ela cochicha quando eu passo por ela: "Vim de rosa porque eu não sou obrigada! Te amo!".

Me aproximei dos meus alunos, alguns sorrindo, outros já chorando, alguns cabisbaixos sem me olhar. O Pedro Henrique vem em minha direção e me abraça; depois dele, vêm todos os outros me abraçar. Os alunos das outras turmas começam a chorar; a escola inteira está chorando, merendeiras, inspetores, secretárias, até os cachorros que ficam na porta da escola estão emocionados.

Respiro fundo, me dirijo ao microfone e pego o texto que escrevi na noite anterior, mas, quando vou iniciar a leitura, o Pedro Henrique me interrompe:

— Não leia esse aí, leia esse aqui. É o texto do Heitor, que ele usaria para apresentar a turma. Ele me deu o texto antes de morrer. Leia esse aqui, professora. — Ele estica a mão e me entrega um papel de caderno meio surrado e dobrado.

Novamente respiro fundo, fecho os olhos, me concentro o máximo que posso para não chorar, mentalizo o Heitor — não apenas na minha mente, mas no meu coração — e começo. Assim que o faço, todos os alunos da escola começam a ler comigo. O papel que eles estavam segurando era o texto do Heitor, e a intensidade da leitura fica cada vez mais forte.

Olá! Meu nome é Heitor. Fui eleito o capitão dessa sala. Há alguns meses eu jamais imaginaria que isso pudesse acontecer; aliás, há alguns meses talvez o meu voto nem contasse, porque eu não conversava com ninguém. Eu me lembro do dia em que tudo mudou. Foi no dia em que a professora Francis me escolheu para ser o assistente dela. Depois disso, os outros alunos começaram a me notar e a brincar comigo. Até o Pedro Henrique, que só judiava de mim, começou a me tratar um pouquinho melhor, mas bem pouquinho.

Como capitão, é minha função apresentar a sala a todos vocês. Hoje eu posso fazer isso, porque conheço todos os alunos, então vamos lá!

Nossa sala é tipo uma família: tem os que comem muito, tipo o Ruan, os preguiçosos, parecidos com a Naty, os falantes, que são quase todos, os birrentos, os folgados, como o Pedro Henrique, e os quietos, como eu. Assim como qualquer família, nossa sala é imperfeita. A gente briga, chora, bate, apanha, mas depois se perdoa. Na verdade, eu não sei muito como é uma família, porque eu nunca tive uma, e nem sei se vou ter uma dessas famílias legais que eu vejo as outras crianças terem. Às vezes, o que eu mais pedia para Deus era ter uma família normal. Eu moro com a minha avó, não sei onde está o meu pai, nem minha mãe, mas, por mais esquisito que isso possa parecer, depois que eu entrei para essa turma, parece que a minha família aumentou. Claro que eu quero ter um pai e uma mãe. Eu sinto muita falta deles e não me lembro da última vez que senti o abraço da minha mãe. Na verdade, eu nem lembro dela direito, mas eu me lembro de todos os abraços que a professora Francis me dá. Então, hoje, se alguém me pedisse para apresentar a minha família, eu apresentaria eles também. Mais do que amigos, mais do que colegas, eu apresento para vocês a minha família!

P.S.: Eu gosto da Cinthya, que senta atrás do André.

Depois da leitura, um silêncio arrebatador toma conta do lugar, até a primeira palma se fazer presente; depois dela, um mar de palmas e gritos toma conta da arquibancada. Todos gritam o nome do Heitor e choram, é um momento de cura para a escola inteira. Eu pego a mochila que era dele e ergo. Todos os meus alunos tiram as suas mochilas azuis e erguem também! Que loucura é ver todos os alunos gritando o nome do Heitor!

Esse momento mágico dura alguns minutos, mas parece uma eternidade. Para finalizar, a diretora Carmem pega a mochila da minha mão e a coloca numa espécie de monumento levantado ao lado da quadra da escola, onde todo mundo podia vê-la.

Nós não ganhamos o concurso de soletração, e sim a turma da professora Mari. Mesmo com a derrota, nunca havia visto meus alunos tão felizes. Todos vêm me abraçar novamente antes de ir embora. Alguns falam que, no ano seguinte, gostariam de ter aula comigo de novo; até os alunos de outras salas vêm me abraçar e falar que estão com vontade de ter aula comigo.

Depois que todos os alunos vão embora, fico ali, parada, olhando aquela mochila azul e pensando o quanto aquele objeto significava para mim. Dois meninos de mochila azul tinham mudado a minha vida para sempre. A partir daquele momento, toda vez que eu encontrar um menino de mochila azul na rua, ou em qualquer lugar, eu vou lembrar do verdadeiro motivo pelo qual eu me tornei uma professora: mudar a vida dos meus alunos a tal ponto que eles consigam me enxergar como parte da família, porque às vezes nós somos a maior referência de família que eles têm.

No ano seguinte, praticamente todos os alunos da escola voltam para as aulas usando mochilas azuis. Quem olha a entrada dos alunos, não entende muito bem aquele mar azul; parece até parte do uniforme deles.

Também no ano seguinte, o Miguel vem morar comigo, o Mateus se forma no Ensino Médio e diz que gostaria de fazer faculdade de letras. Isso mesmo! Letras! Parece que o mundo dá voltas!

A Josi fica noiva do professor de história e o meu vizinho continua sem camisa. A diretora Carmem muda de escola e, para nossa alegria, não temos mais contato. A Marli assume a diretoria e o clima fica maravilhoso; ela, sem dúvidas, é a pessoa mais indicada para a função.

Desde o ocorrido, nunca mais vi o menino da mochila azul, mas, a cada vez que a campainha da minha casa toca, eu acho que pode ser ele. Acho que ele já está auxiliando a vida de outra pessoa; afinal, sempre tem alguém precisando de um anjo. Depois que ele passou pela minha vida, eu aprendi que todos nós temos a oportunidade de ser um anjo na vida dos outros. Não importa se você tem asas ou não; às vezes, os anjos estão ao nosso lado, sem asas, usando uniforme, uma bolsa, ou quem sabe um chapéu. Todo mundo tem um anjo por perto. Basta você acreditar e ter a sensibilidade de perceber isso. No meu caso, o anjo não tinha asas. Foi um anjo de mochila azul!

fonte
adelle

@novoseculoeditora
nas redes sociais

gruponovoseculo
.com.br